デュラララ!! SH

だ-そく【蛇《だ》足《そく》】
《昔、中国《ちゅうごく》の楚《そ》の国で、蛇《へび》の絵をはやく描く競争をした時、最初に描き上げた者がつい足まで描いてしまったために負けたという「戦国策《せんごくさく》」斉策上《せいさくじょう》の故事《こじ》から》付け加える必要のないもの。無《む》用《よう》の長物《ちょうぶつ》。

これは、蛇足《だそく》の物語だ。

首無《くびな》しライダー。無色透明《むしょくとうめい》のカラーギャング。人を愛するが故《ゆえ》に人を斬《き》り続ける妖刀《ようとう》。

得体《えたい》の知れない怪物《かいぶつ》達が池袋《いけぶくろ》に残した傷跡《きずあと》。

人々は、怪物の姿《すがた》を想像《そうぞう》し、妄想《もうそう》し、時には溺愛《できあい》し——それぞれの『都市伝説《でんせつ》』として街の中に語り続ける。


そんな完成された絵に描き足《た》される『蛇の前足』。

あるいは、無用《むよう》な物語と人は呼ぶかもしれない。

『都市伝説』として成長した巨大《きょだい》な蛇に、付け加える必要の無いものだと。


しかしながら、忘れてはならない。

蛇の前足が両腕《うで》へと進化し、全てを掴《つか》む『手』を獲得《かくとく》したのならば——

時に、蛇は龍《りゅう》になるかもしれないという事を。

プロローグ

プロローグA　荒くれ者

『化《ば》け物《もの》め』


中学を卒業するまでの間に、幾度《いくど》となく、そう言われ続けてきた少年がいた。

秋田《あきた》の山奥にある、人里離《ひとざとはな》れた温泉郷《おんせんきょう》。

秘湯《ひとう》として人気があるため、観光客《きゃく》が一年を通して訪れるものの、過疎化《かそか》の波には逆らえず、緩やかに寂《さび》れつつある集落《しゅうらく》だ。

そんな村の中で、少年は15年前に生を受けたらしい。

らしい、というのは、確定《かくてい》した情報ではないからだ。

臍《へそ》の緒《お》が取れたばかりの嬰児《えいじ》だった彼は、とある温泉宿《やど》の入口に、布にくるまれた状態で捨てられていたのだという。

その後、その宿のオーナーである老婆《ろうば》に引き取られ、彼女の娘《むすめ》夫婦の養子《ようし》として育てられた赤子《あかご》は、人並みの愛情と人一倍《ひといちばい》の環境《かんきょう》に恵まれ、すくすくと育っていった。

しかし、心まで健《すこ》やかに育つ前に、周囲からの横やりが入り始める。

どこにでもある話と言えばそれまでだが、血縁《けつえん》もないのに村の有力者《ゆうりょくしゃ》に育てられている少年をやっかみ、精神的に、あるいは肉体的に危害《きがい》を加えようとする輩《やから》が現れたのだ。

しかし、そこで村は少年の特異性《とくいせい》に気付く事になる。


少年が小学校に入ったばかりの時、上級生が喧嘩《けんか》を売ってきた。

歳《とし》は5つも上であり、体も大柄《おおがら》である近所でも評判《ひょうばん》のあくたれであった子供がちょっかいをかけてきたのである。

当時、自分が養子だという事実を知らなかった彼は、自分が何を言われているのか解《わか》らず、首を傾《かし》げるだけだった。

しかし、堪《こた》えた様子《ようす》の無い彼に苛立《いらだ》ったのか、上級生はあっさりと手を出し始める。

苛立った上級生が一発殴《なぐ》り、よろけた新入生の胸ぐらを摑《つか》み上げた時、誰《だれ》もが一方的なイジメになると予感《よかん》した。

実際、その喧嘩は一方的なものとして終わる。

ただし、勝敗は皆の予想と逆だったのだが。

それが、彼が『才能《さいのう》』を最初に発揮《はっき》した瞬間《しゅんかん》だった。

小学校にあがるまでに、特に何かを鍛《きた》えていたわけではない。体質的に鋼《はがね》の体を持っていたわけでもなければ、自販機《じはんき》を持ち上げるような怪力《かいりき》を持っていたわけでもない。

ただひとつ、『センス』とでも言うべきものがあるだけだった。

肉食《にくしょく》生物の何割かが、生まれながらに獲物《えもの》の仕留《しと》め方を知っているように。

少年は襟首《えりくび》を摑まれた次の瞬間、彼は、上級生にやりかえす事にした。

相手の耳を摑み、勢い良く引き摺《ず》り落とす。

耳を千《ち》切られると本能《ほんのう》的に察した上級生が、手を放して思わず身を屈《かが》めた瞬間――その鼻《はな》柱《ばしら》に、齢《よわい》6歳《さい》の少年の頭《ず》突《つ》きが叩《たた》き込まれた。

当然ながら、何か知識《ちしき》があったわけではない。

ただ、自分の硬い所を手っ取り早く相手にぶつけようと思っただけだ。

もっとも、小学校に入学したての子供がそう考える事《こと》自体が異常ではあったのだが。

そして、まだ幼い少年には『容赦《ようしゃ》』や『手加減《てかげん》』という概念《がいねん》が備わっていなかった。

敢《あ》えて、この少年の性格を一つあげるというのならば――

『臆病《おくびょう》』

全て、この一言《ひとこと》に集約《しゅうやく》されるだろう。

少年は臆病故《ゆえ》に、恐怖《きょうふ》を嫌《きら》った。

ただ、それだけの事なのだ。

人一倍恐怖《ひといちばいきようふ》に対して敏感《びんかん》であり、それを人一倍怖《おそ》れる。

結果として、その臆病《おくびよう》さと『才能《さいのう》』が組み合わさった事で、一人の『怪物《かいぶつ》』が生まれてしまったと言えた。

わけの解《わか》らない事を言いながら自分を攻撃《こうげき》してきた上級生は、少年にとって十分に恐怖の対《たい》象《しよう》となり得る。

恐怖は、遠ざけなければならない。

自分の前から、消し去らなければならない。

少年は、本能に従って蹲《うずくま》った上級生を蹴《け》り続けた。

顔面を的確《てきかく》に狙《ねら》って。

爪先《つまさき》を使い、顔を覆《おお》う指ごと折り潰《つぶ》すように。

指の間から地面に滴《したた》る血を見ても、少しも躊躇《ためら》う事無《ことな》く。

何度も、何度も
いつまでも。

その事件を切っ掛けとして、少年は周囲から怖《おそ》れられるようになった。

結局は『最初に殴《なぐ》り掛かったのは上級生の側』という事と、村の有力者《ゆうりよくしや》の息子《むすこ》という事もあり、大ごとになるのは避けられたものの——少年の人生が、そこで捻《ねじ》れる事になる。

ある意味では、全く捻れず、自分の才能に従って真《ま》っ直《す》ぐに歩み続けたと言えるのかもしれないが。


過疎化《かそか》が進みつつある村とはいえ、少年に手ひどくやられた上級生の他にも、厄介《やっかい》な子供達は多かった。

仲間の仇討《かたきう》ちと称して、生意気《なまいき》な子供をとっちめようとした年上の少年達。中には中学生まで混じっており、そうした集団に袋《ふくろ》だたきにされては、流石《さすが》に手も足も出ない。

そう思われたが——

新入生は、最初の一人に殴られ、馬乗《うまの》りになられた瞬間《しゅんかん》に——なんの迷いもなく、相手の目に指を突き入れた。

抉《えぐ》れこそしなかったものの、目から血を流しながら叫び喚《わめ》く仲間を前に、上級生達は一瞬《いっしゅん》にして恐怖に飲まれてしまう。

悲鳴《ひめい》をあげて転《ころ》がる仲間に、手近《てぢか》にあった石を持って追い打ちを掛けようとしている、僅《わず》か6歳《さい》の少年。

鬼気《きき》迫る様子《ようす》に、彼らは一斉《いっせい》に同じ事を感じた。

目の前にいるのは、自分達とは違う何かだと。

自分達《たち》よりも頭一つ以上小さい、成長期前《まえ》の子供。

それにも関わらず、まるでその大きさの狼《おおかみ》か熊《くま》でも相手にしているかのような感覚だった。

すぐに気を取り直して、数人がかりで少年を袋《ふくろ》だたきにすれば十分に勝機《しょうき》はあっただろう。

だが、集団での喧嘩《けんか》慣《な》れした暴走族《ぼうそうぞく》や不良《ふりょう》グループならともかく、ただ、少しばかり悪ぶった小中学生達にそれを求めるのは酷《こく》なことだった。

次に殴《なぐ》り掛かる最初の一人は、同じ目に遭《あ》う。

石で歯を叩《たた》き折られる仲間を見て、彼らは完全に足が竦《すく》んでしまっていた。

流石《さすが》にその一件は過剰防衛《かじょうぼうえい》となり、僅《わず》か6歳《さい》という身の上でありながら、警察沙汰《ざた》となった後に児童《じどう》相談所に連絡《れんらく》される事態《じたい》となる。

その後は村の中で彼に手を出す者はいなくなったが、中学に上がるか上がらないかの頃《ころ》——村の不良少年達から噂《うわさ》を聞きつけた周囲の地区の人間が顔を出し、少年にちょっかいを掛け始めた。

理由は、至極単純《しごくたんじゅん》。

当時の上級生達も成長し、行動範囲《はんい》を余所《よそ》の土地へと広げていった結果、そこで喧嘩も含めて新たな交友《こうゆう》関係などを築いていくのだが——その最中《さいちゅう》に、ふとした弾《はず》みで過去に自分達を殺しかけた少年の名を口にしてしまったのだ。

過去の思い出《トラウマ》は彼らの脳内《のうない》で様々《さまざま》な尾ひれが付け加えられており、『6歳の時点で人の耳を千切《ちぎ》り、十人相手でも全く怯《ひる》まず、石で相手の肋骨《ろっこつ》を全て折った怪童《かいどう》』として、少年の噂が広まっていく。

そして、面白《おもしろ》半分でちょっかいを出した余所の街の不良少年達は、思い知る事となった。

誇張《こちょう》されていた話の通りに、少年が禍々《まがまが》しい成長を遂《と》げていたのである。

――化《ば》け物《もの》め。

中学に入りたての少年に半殺《はんごろ》しにされた誰《だれ》かが、彼に向かってそう言った。

最初に言われた瞬間《しゅんかん》の事を、少年はもう覚えていない。

――化け物め。

――化け物。

――化け物だ。

仲間の仇討《かたきう》ちの為《ため》に。

あるいは自分の力を周囲に見せつける武勇伝《ぶゆうでん》の一部とする為に。

腕に覚えのある荒くれ者が、次から次へと周囲の土地からやってきた。

少年は、その全てを迎え撃《う》つ。

ただ、少年は怖《こわ》かっただけなのだ。

正しく生きているつもりなのに、自分に理不尽《りふじん》な敵意《てきい》が向かってくる事が、何よりも恐ろしかった。

少年は体を鍛《きた》え始める。

身に降りかかる理不尽な恐怖《きょうふ》から身を守る為《ため》に。

そうしている間にも噂《うわさ》は広まり続け、とうとう他県《たけん》から喧嘩《けんか》を売りにくる者まで現れた。

喧嘩に明け暮れる日々。その恐怖を打ち払う為の鍛錬《たんれん》。

こうして、生まれながらの『才能《さいのう》』に、『経験』と『努力』が積み重ねられたのである。


何もかもが理不尽だった。

自分から喧嘩を売ったわけでもないのに、周囲から喧嘩を売られ、挙《あ》げ句《く》に喧嘩を売ってきた者達に怪物《かいぶつ》だ化《ば》け物《もの》だと恐《おそ》れられる日々。

中学三年になる頃《ころ》には、少年は齢《よわい》15にして全てを諦《あきら》めていた。

自らが孤児《こじ》である事も、この歳《とし》では既に理解している。

育ててくれた親に感謝する一方で、世間《せけん》に対しては既《すで》に何も期待していなかった。

ただ、化け物と呼ばれ続けるまま、ろくでもない人生が続くのだろう。

世界とは、人生とは、所詮《しょせん》はこんなものだ。

僅《わず》か15歳の少年にそう信じさせてしまうほど——確かに、世界は彼に冷淡《れいたん》だった。

必要《ひつよう》以上に苦しめるわけではない。

少年の家族は、傷害沙汰《しょうがいざた》を起こす彼の事を見捨《みす》てなかったし、警察も、鉄パイプやナイフなどを持って少年を襲《おそ》った不良《ふりょう》達との喧嘩については『正当防衛《ぼうえい》』と判断《はんだん》し、少年院行きなどはかろうじて免《まぬが》れた。

しかし、相も変わらず理不尽な憎《にく》しみと怖れの目だけは自分の体に注《そそ》がれ続ける。

家族の優しさは、逆に少年の心を孤独《こどく》にした。

化け物と呼ばれる自分のせいで、まっとうな人間である家族に迷惑《めいわく》を掛けてしまっていると。

自分のような化け物が、彼らに迷惑をかけている事が申《もう》し訳《わけ》無いと。

生殺《なまごろ》しのような状況の中、少年は世界に希望を持つことを止め、さりとて絶望する事もなく、中身《なかみ》の感じられない人生を送り続けた。

恐らく、今後も一生この状態が続くのだろうと考えながら。

そんな折、少年に一つの転機《てんき》が訪れる。

夏の終わりのある日、村に、東京《とうきょう》からの旅行客《きゃく》がやって来た。

大曲《おおまがり》の花火《はなび》大会を見に来た帰りに、秘湯《ひとう》と噂の温泉街《がい》にやってきたらしい。

村《むら》一番の温泉宿《やど》に泊まったその客は、たまたま、少年と不良達の喧嘩を目撃《もくげき》する事となった。

凄惨《せいさん》極まりないその喧嘩《けんか》を興味深《きょうみぶか》げに眺《なが》めていたその客は、喧嘩が終わったばかりの少年に対し、笑いながら声をかける。

「若い子は、元気があっていいねぇ」

少年は、怪訝《けげん》な顔をした。

今まで、自分の喧嘩を旅行客《きゃく》に目撃《もくげき》された事は何度もあったが、誰《だれ》もが恐怖《きょうふ》に満ちた目を向けるばかりで、楽しげに笑いかけてくるものなどいなかったからだ。

旅人《たびびと》は、血みどろになって転がる不良《ふりょう》達の中心に立つ少年に対し、言葉を続ける。

「エネルギーが有り余ってるうちは、人としての本能《ほんのう》に従うのもいい事だよ」

倫理観《りんりかん》の欠片《かけら》も持ち合わせていないようなその男に、少年は言う。

人としての本能とはどういう事か、貴方《あなた》は自分が人に見えるのかと。

すると、旅人は答える。

「？　おかしな事を聞くね。君が人じゃなくて何だって言うんだい」

男は柔らかい笑《え》みを浮かべながら、言葉を続けた。

「確かに君は喧嘩が強いみたいだけど、喧嘩が強いっていう個性《こせい》を持った人じゃないか。世の中にはね、もっと人間離《ばな》れした人もたくさんいるし、本物《ほんもの》の異形《いぎょう》だっているんだからさ」

おかしな事を言う旅行者だと、少年は訝《いぶか》しんだ。

しかし、嘘《うそ》を言っているようにも見えない。

今の状態の自分が、『人』と言われた事に、少年は少なからず戸惑《とまど》いを覚えていた。

一体この旅人は、どんなものを見て来たのだろう？

立ち去ろうとする旅人に、少年は思わず尋《たず》ねた。

一体、どんな土地からこの村にやってきたのかと。

すると、旅人は朗らかな笑顔のまま答えた。


「池袋《いけぶくろ》」


その地名は、聞いた事があった。

東京《とうきょう》の中でも有名な街の一つであるが、村から殆《ほとん》ど出た事のない少年にとっては、『かろうじて名前だけ知っている』という程度《ていど》の存在である。

興味《きょうみ》を持った少年は、殆ど使った事のないスマートフォンのネット機能《きのう》を起動《きどう》させ、『池袋』について調べ始めた。

カメラにハッキリと映し出された首無《くびな》しの異形や、自動販売機《はんばいき》を投げる男の動画《どうが》。

そうした『情報』に辿《たど》り着くまで、そう時間は掛からなかった。

少年は息を呑《の》み、取り憑《つ》かれたように『情報』を漁《あさ》り続ける。

首無《くびな》しライダー。

謎《なぞ》のバーテンダー。

ダラーズ。

切り裂《さ》き魔《ま》。

漫画《まんが》か何かと思《おぼ》しきキーワードが次から次へと画面に浮かび上がっては消えて行く。

ドクリ、と、心臓《しんぞう》が高鳴《たかな》るのを感じた。

『所詮《しょせん》自分は化《ば》け物《もの》だ』と孤独《こどく》を受け入れていた時に、新たな世界が広がったのである。

喧嘩《けんか》に明け暮れていた少年は、スマートフォンの小さな窓を通じて、世界を見た。

それは、確かに『恐怖《きょうふ》』でもあった。

少年を怪物《かいぶつ》たらしめた『臆病《おくびょう》さ』は、成長する事である程度《ていど》落ち着いたものの、完全に消え去ったわけではない。

首無しライダーは恐ろしい。

自販機《じはんき》を投げる男が恐ろしい。

切り裂き魔も恐ろしい。

数百人のギャング集団など恐ろしくて仕方が無い。

しかし、その衝撃《しょうげき》は、彼の心を強く刺激《しげき》した。

好奇心《こうきしん》が、恐怖を上回ったのである。

本来ならば、そんな恐ろしい首無しライダーなどは遠ざけなければならないと思う所だった。

絶対に池袋《いけぶくろ》になど行かないと思う筈《はず》だった。

だが、彼は自分の本音《ほんね》に気が付いたのである。

――このまま、自分がただ一人の化け物として生きて死んでいく事が――

――世界がこんなものだと諦《あきら》めたまま死ぬ孤独《こどく》こそが、本当に恐ろしいと。

やがて、その小さな窓からの情報だけでは物足《ものた》りなくなり――

進路を決定しなければならない時期に、彼は育ての親に対し、一つの我《わ》が儘《まま》を言う。

基本的に売られた喧嘩を買っただけとはいえ、自分の喧嘩が家族に多大な迷惑《めいわく》をかけていたのは事実だ。

逆恨《さかうら》みした不良《ふりよう》達が、温泉宿《やど》に火を放とうとして警察沙汰《ざた》になった事もある。

その事に対する罪悪感《ざいあくかん》からか、はたまたそれでも自分を見捨《みす》てなかった事への恩義《おんぎ》からか、
少年は、今まで両親に対して我が儘らしい我が儘は言ったことが無かった。

世の中への諦《あきら》めもあったせいか、喧嘩漬《づ》けの人生とは裏腹《うらはら》に、生活態度《たいど》そのものは至って真面目《まじめ》で、親や祖母《そぼ》に何かをねだるという事もしてこなかった。

そんな少年が、小学校で喧嘩をして以来――初めて、我が儘を言った。

東京《とうきょう》の——池袋《いけぶくろ》の高校に進学したい。

あまりにも唐突《とうとつ》な申《もう》し出《で》に、両親は戸惑《とまど》った。

しかし、熱心に『もっと色々な事を学びたい』という少年に対し、温泉宿《やど》のオーナーである祖母《そぼ》が言う。

「こっちゃけ《こっちに来て》、ねまれ《座りなさい》」

言う通りにした少年の目をじっと見つめ、祖母が静かに続けた。

「こんちけどったわらしが《いじけてた子が》……。おめなば《おまえ》、さっと見ね内におがっだな《少し見ない内に成長したねえ》」

村独特《むらどくとく》の少し特異《とくい》な秋田弁《あきたべん》で語る祖母は、そう言って少年に笑う。

結局、その後、祖母の鶴《つる》の一声で少年の我《わ》が儘《まま》は聞き入れられた。


そして、化《ば》け物《もの》と呼ばれた少年が、池袋にやってくる。

諦《あきら》めかけていた世界と、もう一度向《む》き合う為《ため》に。

自分の知らない、本当の『怪物《かいぶつ》』と出会う為に。


少年の名は、三頭池八尋《みずちやひろ》。

彼がこの先、何を見るのかは解《わか》らない。

臆病《おくびょう》な化け物が、池袋の街で果たして誰《だれ》と出会うのか。
あるいは、何を成すのか、成さないのか。
それは誰にも解らないが、ただ一つだけ確実なのは——
街そのものは、どんな人間だろうと来るのを拒《こば》まないという事だった。
ダラーズの終焉《しゅうえん》から一年半。
池袋は今、新しい風を迎えようとしていた。

プロローグB　変わり者

街というものは、人がそこに住む限り、常に変化を続けている。

池袋《いけぶくろ》とてその例外ではなく、人が多く集まる場所だからこそ、流行《はや》り廃《すた》り、あるいは経済や社会の変化などによって街の空気を少しずつ入れ替えてきた。

だが、街と人は元々一心同体《いっしんどうたい》だ。

人が街を変えるように、街に合わせて人も変わる。

その変化が成長なのか堕落《だらく》なのか、あるいは全く別のものなのか――

結局の所、変化の結果は人それぞれとなるのだが。


「私達《たち》もとうとう三年生かあ、クル姉《ねえ》はもう進路《しんろ》とか考えちゃったりしてる？」

池袋駅からサンシャインへと続く繁華《はんか》街《がい》、通称《つうしょう》『60階通り』を歩きながら、一人の少女が、隣《となり》を歩く同じ顔をした人間へと話しかけた。

「……肯《うん》……」

蚊《か》の泣くような声で、並び歩く妹に答える少女。

「うへぇー。クル姉《ねえ》、真《ま》ッ面目《じめ》ー。私はもう、ニートでいいかなーって思ってる。クル姉、働きに出て私を養ってよー」

「……嫌《面倒臭い》……」

彼女達《たち》は双子《ふたご》であるが、顔《かお》以外は何もかもが似ていない。

妹である折原舞流《おりはらまいる》は、長く伸ばしたお下げ髪《がみ》に眼鏡《めがね》をかけて、いかにも大人《おとな》しく優等生《ゆうとうせい》といった調子の格好《かっこう》をしているのだが、明朗快活《めいろうかいかつ》で口より先に手や足が出るタイプのアクティブな性格をしている。

一方、姉の折原九瑠璃《くるり》はボーイッシュな見た目をしているのだが、目にも声にも生気《せいき》が感じられず、古びた人形のような空気を漂《ただよ》わせていた。

そうしたファッションは、自然と身についたものではない。

子供の頃《ころ》からわざと正《せい》反対の性格や趣味《しゅみ》になろうとしているのである。

『双子とは完璧《かんぺき》な存在の象徴《しょうちょう》であり、互いの不足を補う事ができる』という考えから、二人は互いに不足を補う為《ため》、まだ幼い頃にくじ引きで人生を決めたのだ。

これから先、それぞれがどのようにして生きるかと。

そして、互いに困った事があれば、二人で必ず助け合おうと。

子供じみた妄想《もうそう》に過ぎなかったのかもしれないが、実際そうして育ってしまった。

数少ない二人の趣味の共通点《てん》は、若手《わかて》男性俳優《はいゆう》、羽島幽平《はねじまゆうへい》のファンであるという事。そして、お互いが大好きだという事ぐらいである。

変わり者の二人として、彼女達は街でそこそこ有名な存在だ。

彼女達は池袋《いけぶくろ》にある高校、来良《らいら》学園の生徒であり、そろそろ終わる春休みを特にあてもなく、それなりに満足そうに満喫《まんきつ》している。

「でも、私達ももう三年かー。早いよねー。ついこの前まで一年だと思ってたのに、もう三年だよ、三年。まだ3ヶ月ぐらいしか経《た》ってないみたいに感じるよ」

「……光《はやいよね》……」

「でも、街は色々と変わったよねー。アニメイトやとらのあなが新店オープンしたり移転したりした時は狩沢《かりさわ》さん達もお祭り騒ぎだったし。新しいお店とかもどんどんできてるしねえ」

そんな事を言いながら舞流は首を振り、お下げ髪を振り回しながら街を見た。

「あ、でも、昔っから変わらないとこもあるよね。ほら、あそこのシネマサンシャインとか、ゲームセンターとか……」

舞流の言葉が、そこで止まる。

映画館に併設《へいせつ》されたゲームセンターの入口付近《ふきん》に、知り合いの顔を見つけたからだ。

「あ、ほらほら、クル姉、青《あお》っちがいるよ。ヨシキリ君達も一緒《いっしょ》じゃん」

九瑠璃が妹の視線の先に目を向け、そこに同じ学校の男子生徒《せいと》——黒沼青葉《くろぬまあおば》の姿《すがた》を見つける。

休日なので当然私服《しふく》を身に纏《まと》っており、少年は、学校とは違う雰囲気《ふんいき》を醸《かも》し出していた。

「青葉《あおば》っちも三年かー。初めて会った時は子供っぽかったけど、背もちょっと伸びたよねー」

感慨深《かんがいぶか》げに言いながら、ずかずかと少年の集団に近づいて行く舞流《まいる》。

そして、何の躊躇《ためら》いもなく青葉の頭にチョップを叩《たた》き込んだ。

「いてッ」

「やっほー！　青っち、元気？　ちゃんと生きてる？」

「舞流か。……なんだよ、その挨拶《あいさつ》」

やれやれと溜息《ためいき》を吐きながら言う青葉に、舞流はニシシと笑いながら答える。

「だって、青っちを長いこと見かけないとさー、なんか危ない事やらかして死んじゃってそうなんだもん」

「好き勝手《かって》言ってくれるなあ」

頬《ほお》を引きつらせる青葉に、舞流は更《さら》に続けた。

「実際、危ないことしてんでしょ？　この前も、また『屍龍《ドラゴンゾンビ》』の人達と揉《も》めたんでしょ？」

「……相変わらず、耳聡《みみざと》いなあ」

黒沼《くろぬま》青葉は、『ブルースクウェア』という不良《ふりょう》グループの中心人物だ。

かつては青いバンダナや目出《めだ》し帽《ぼう》を纏《まと》ってカラーギャングとして活動していたが、現在はそうした色による主張を控え、表《おもて》だっては目立たない形にしているらしい。

一見すると不良《ふりょう》にすら見えない少年に対し、舞流はあっけらかんとした調子で続けた。

「これでも疎《うと》くなった方だよ？　イザ兄《にい》はフラッといなくなっちゃったし、波江《なみえ》さんはアメリカに行っちゃったし、もう、そういう話してくれる人、楽影《らくえい》ジムの先輩達《せんぱいたち》ぐらいだしね」

「どっちにしろ、折原《おりはら》達には関係ない話さ」

そう言って肩を竦《すく》める青葉の耳元《みみもと》に、九瑠璃《くるり》がそっと顔を寄せる。

「……否……独……逝……？」

（否《駄目だよ》　独《勝手に》　逝《死んだりしちゃ》）

「わッ⁉」

突然耳元《みみもと》で囁《ささや》かれ、青葉は思わず声を上げた。

そんな彼の肩に額《ひたい》をコツンとぶつけた後、薄く微笑《ほほえ》みかける。

「～～～ッ」

青葉は口をアワアワさせた後に、顔を赤くし、

「脅《おど》かすなよ」

とだけ言ってソッポを向いた。

そして、ソッポを向いた先で、仲間の一人と目が合い、ギョッとする。

相手が頬《ほお》をひくつかせ、青葉に向かって憎悪《ぞうお》の眼差《まなざ》しを向けていたからだ。

「な、なんだよヨシキリ」

「てめぇ……こんな真《ま》っ昼間《ぴるま》から可愛《かわい》い女と惚気《のろけ》やがって……可愛い！　女と！」

頭一つ以上背が高い少年は、そのまま青葉《あおば》の首に手を掛ける。

「殺す！　お前を殺せば、その分だけ世界の男の誰《だれ》かがモテるに違いない！」

「少なくともそれはヨシキリじゃない……ウゴゴゴ、ギブ！　ギブ！　ギブ！」

顔が紫色《むらさきいろ》になりつつある青葉を見て、他の少年達《たち》もケラケラと笑っていた。

どう見ても笑い事じゃない色に染《そ》まりかけた所で、ゲームセンターの奥から一人の少年が顔を出し、驚いた声を上げる。

「ちょッ、ヨシキリさん、黒沼先輩《くろぬませんぱい》に何してんすか⁉」

ヨシキリと呼ばれた男を青葉から引き剝《は》がしたのは、青葉達と比べて目に見えて年若い少年だった。

「放せ琴南《ことなみ》！　こいつを殺せば俺《おれ》もモテるんだ！」

「モテるわけないでしょうヨシキリさんが！」

「……あぁ？」

「あッ」

ビキリとこめかみを引きつらせ、ヨシキリが青葉の首から手を放す。

そして、今度はその手を年下《としした》の少年に伸ばし、あっという間にコブラツイストの形で全身の関節《かんせつ》を締《し》め上げる。

「流石《さすが》、色男《いろおとこ》さんは命知《いのちし》らずだよなぁ？　オォ⁉」

「ギャー！　ギブ！　ギブ！　ギブ！」

数分後《ご》、ヨシキリがゲームセンターの店員に注意された事でようやく解放された少年は、全身をさすりながら青葉に向かって問いかけた。

「黒沼先輩、この綺麗《きれい》な双子《ふたご》のお姉《ねえ》さん達って、黒沼先輩の彼女っすか？」

「違う！」

間髪入《かんはつい》れずにそう叫んだのはヨシキリだったが、そんな彼の声を無視《むし》して、青葉が答える。

「いや……彼女っていうか、友達だよ、友達」

素《そ》っ気《け》なくそう言った瞬間《しゅんかん》、舞流《まいる》がニヤリと笑いながら口を挟《はさ》んだ。

「そうそう。友達だよ、友達。まだ私もクル姉《ねえ》も、青っちとはキスまでしかしてないもんね」

「お、おい」

青葉がアワアワと舞流を止めようとする後ろから、再びヨシキリの怒声《どせい》が飛ぶ。

「うおおおお……殺す！　キスまでしといて友達呼《よ》ばわり！　しかも二人！　余裕《よゆう》か、これが勝者の余裕って奴《やつ》か！　やはり世界のあまねく男子を代表して青葉手前《てめえ》をぶっ殺……おい、なんだ手前ら、放せ！　放せコラぁ！」

流石にゲームセンターから出入り禁止にされる可能性《せい》を考慮《こうりょ》したのか、周囲の少年達がヨシキリを押さえ込みながら街のどこかへ引き摺《ず》っていった。

後に残された青葉《あおば》は大きく溜息《ためいき》を吐きながら、改めて年下の少年に九瑠璃《くるり》と舞流《まいる》を紹介《しょうかい》する。

「ええと、この二人は、俺《おれ》の学校の子でさ。折原《おりはら》九瑠璃と折原舞流。見ての通り……まあ、雰《ふん》囲気《いき》は全然違《ちが》うけど、顔を見れば解《わか》る通り、双子だよ」

そして、青葉は続いて、年下《としした》の少年を九瑠璃達に紹介する。

「こいつは琴南《ことなみ》。今年から来良《らいら》に入る、俺達の後輩《こうはい》だよ」

「どうも、琴南久音《くおん》っす」

「クオン君？　なんかカッコイイ名前だねー」

「そっすか？　あざっす」

肩を竦《すく》めながら笑う久音の全身をマジマジと見て、舞流は更《さら》に言葉を続けた。

「っていうか、随分《ずいぶん》とファンキーな格好《かっこう》だね。本当にこないだまで中学生だったの？」

舞流はストレートな感想を口にするが、そう思うのも無理《むり》は無い。

何しろ彼の姿《すがた》は、およそ中学を卒業したばかりとは思えぬものだったからだ。

髪《かみ》の耳回りを刈《か》り上げた上に剃《そ》り込み線を入れており、それ以外の部分は長めに伸ばし、シヨッキングな緑色《みどりいろ》に染《そ》め上げられている。

耳には派手《はで》な造形《ぞうけい》のピアスが付けられ、髪型《かみがた》と同じぐらい激しく自己《じこ》主張していた。

顔立ちこそ整っているものの、彼を見た者はまず派手《はで》な装飾《そうしょく》に目を奪《うば》われてしまうだろう。

ビジュアル系《けい》バンドの中でも一際《ひときわ》目立つメンバーといった風貌《ふうぼう》の少年に、興味津々《きょうみしんしん》という調子で目を輝かせる舞流だったが——そんな彼女に、青葉はニヤニヤと笑いながら携帯《けいたい》を見せた。

「これ、先月までのコイツ」

「ちょ、黒沼先輩《くろぬませんぱい》！　やめ……ッ」

慌《あわ》てて携帯を奪《うば》おうとする久音の腕を擦《す》り抜け、舞流が青葉の手からヒョイと携帯をつまみ上げる。

そして、そこに映っている黒髪《くろかみ》おかっぱで眼鏡《めがね》をかけた、いかにも真面目《まじめ》な優等生《ゆうとうせい》という感じの写真を見て、舞流は腹を抱えて大笑《おおわら》いし、九瑠璃もプルプルと震えて必死《ひっし》に笑いを堪《こら》え始めた。

「アハハハハハハ！　やるじゃん！　高校デビュー!?　それともビジュアル系バンドでも始めちゃった系？」

「……安《大丈夫》……均《似合ってるよ》……」

二人の反応を見て、久音は顔を真《ま》っ赤《か》にしながら拳《こぶし》をブンブンと上下に振る。

「ああああああ！　黒沼先輩マジひでえっすよ！　こんなんテロっすよ！　イジメっすよ！

姑《しゅうとめ》の嫁《よめ》いびりっすよ！」

「いいじゃん、この方がお前を紹介しやすい」

ケラケラ笑う青葉に同調《どうちょう》し、舞流も暫《しばら》く笑っていたのだが——

不意《ふい》に、その笑顔を崩《くず》さぬまま一つの問いを口にした。

「でも、高校デビューは外見《がいけん》だけなんでしょ？」

「え？」

「青《あお》っちと知り合いで、今もこうして付き合ってるって事は、昔っから、、、まともじゃなくて、どこか壊れてて、、、、、、、、ろくでもない事してた……って事でしょ？」

「……」

少女の言葉に、少年達《たち》は沈黙《ちんもく》する。

舞流《まいる》の考えは、彼女が特別捻《ひね》くれていたから浮かんだというわけではなかった。

黒沼青葉《くろぬまあおば》とブルースクウェアを良く知る人間ならば、やはり同じ事を考えただろう。

顔に似合《にあ》わず、黒沼青葉の性格は非常に腹黒《はらぐろ》く、自分達の楽しみの為《ため》に平気《へいき》で他人を踏み台にできる類《たぐい》の人間だ。

中学の時点でブルースクウェアというカラーギャング組織《そしき》を立ち上げ、自分は矢面《やおもて》に立たず、高校生やそれ以上の年の人間——あるいは、自分の兄までをも担《かつ》ぎ上げて、安全な場所から黒幕《くろまく》を気取っていたような男である。

そんな人間が、わざわざ選んで連《つる》む相手が、『ただの不良に憧《あこが》れる中学生の少年』などである筈《はず》がない。

何か裏がある。

青葉の本性《ほんしょう》を知っているならば、誰《だれ》もがその結論《けつろん》に帰結《きけつ》する事だろう。

もっとも、それを堂々《どうどう》と目の前で口にした舞流《まいる》は、やはり変わり者と言えたのだが。

少しの間を置いて、久音《くおん》はそれまでとは毛色《けいろ》の違う、どこか冷たさを感じる笑《え》みを浮かべて呟《つぶや》いた。

「……面白い人ですね、黒沼《くろぬま》先輩の彼女」

「だから彼女じゃないって。彼女にするにしても絶対に九瑠璃《くるり》の方……」

「あッ、そういう事《こと》言う⁉　青っち⁉　ちょっと常識無《じょうしきな》いんじゃない⁉」

ギャーギャーと噛《か》みつく舞流と、特に感情を動かしていない九瑠璃。

そんな『先輩』達を見ながら、久音は軽く手を上げてその場を後にした。

「ま、お邪魔《じゃま》しちゃあれなんで、俺《おれ》もヨシキリ先輩宥《せんぱいなだ》めに行ってきますよ」

「あ、おい。だからそういうんじゃ……」

「黒沼先輩、お幸せにー」

どこまでも軽い調子で言いながら去って行った少年を見送った後、青葉《あおば》は深い溜息《ためいき》を吐く。

そして、やや真剣な顔をして、九瑠璃と舞流に向き直った。

「なあ、言っておくけど、あいつとはあんま深く関わらない方がいいぜ」

「えー。ブーメランじゃん。青っち、超《ちょう》関わってるじゃん」

「いや……なんていうか、あいつはちょっと変わり者でさ……」

言葉を濁《にご》す青葉だったが、やがて覚悟《かくご》したように、二人に話しはじめる。

「あいつ、あんな派手《はで》なナリしてるけどな、来良《らいら》の入学試験でトップだったらしいぜ」

「ええッ？　本当に⁉　秀才君《しゅうさいくん》じゃん、博士《はかせ》じゃん！」

「……驚《すごい》……」

「あぁ、新入生《しんにゅうせい》代表の挨拶《あいさつ》に選ばれかけたんだけどさ、あの格好《かっこう》だろ？　急遽《きゅうきょ》、別の奴《やつ》に選び直されたって話だよ」

目を逸《そ》らしながら言う青葉に、舞流は更に追及の言葉を投げかけた。

「なんでそんな子が、青《あお》っち達と連《つる》んでるの？」

「まるで俺達が頭悪《あたまわる》いみたいに言うなよ。……まあ、あいつと俺らはもちつもたれつっていうかな……簡単に言えば、あいつは俺らの重要な資金源《しきんげん》なんだ」

「ええッ⁉　金づる⁉」

「嫌《いや》な言い方するなぁ」

苦笑《くしょう》する青葉の襟首《えりくび》を、舞流が両手で摑《つか》みあげて揺さぶりかける。

「ちょっと！　それってあの子の家がすっごいお金持ちかなんかで、みんなでゆすりたかりしてるってこと⁉」

「……邪《ひどい》……」

「ちょッ……違う！　違うって！　そういうんじゃないから！」

「じゃあ、どういう事なの？」

とりあえず揺さぶるのを止めた舞流《まいる》に、青葉《あおば》はケホケホと咳き込んだ後、ゆっくりと事情を説明し始めた。

「あいつは、独自に金を稼《かせ》ぐルートを持ってるんだよ。俺《おれ》達はその手伝いをして、おこぼれに与《あずか》ってるってわけさ。まあ、言わば俺達はあいつの経営してる店でアルバイトしてる……って感じかな。実際には店とかそういうのは無いんだけど」

「まさか、麻薬《まやく》の密造《みつぞう》とか……大麻《たいま》の栽培《さいばい》とか……」

「いやいや、だから、そういうんじゃないって！　ギリギリ合法だよ。……多分」

「ああーっ！　解《わか》った！　解っちゃった！」

何か言おうとする舞流を遮《さえぎ》り、青葉が言う。

「言っておくが、脱法《だつぽう》ハーブとか、そういうのでもないからな？」

「ちぇッ」

「そこは寧《むし》ろホッとする所じゃないのかよ……」

呆《あき》れながら再び溜息《ためいき》を吐く青葉に、九瑠璃《くるり》が近づいてそっと尋《たず》ねた。

「……何《どんな》……業《しごと》……？」

「それは、流石《さすが》に簡単には……」

「……答《おしえて》……？」

「……」

じっと見つめてくる九瑠璃に根負《こんま》けし、青葉は再び大きな溜息を吐き出し、答える。

「全く、九瑠璃達《たち》が相手だと本当に調子狂《くる》うよ……。まあいいけどさ、早い話、何でも屋みたいなもんさ。場合によっちゃ新聞記者まがいの事もするし、テレビのやらせじみた真似《まね》したり、街でちょっとした騒動《そうどう》を起こしたりもする」

「？　それがなんでお金になるの？」

「……あいつは、それを金に換えられるツテを持ってるんだよ。で、俺はアイツの最大の金《きん》脈《みゃく》を握ってる。それは簡単にあいつに流したりしないけどね」

「金脈って？」

いま一つ久音《くおん》の『金を稼《かせ》ぐルート』がピンときていない舞流《まいる》に、青葉は苦笑《くしょう》混じりに言った。

「舞流達も知ってるだろ」

「？」

「首無しライ、ラ、ラ、ライダーだよ」

「！」

唐突《とうとつ》に出て来た馴染《なじ》み深い単語《たんご》に、九瑠璃と舞流は互いに顔を見合わせる。

「久音の奴《やつ》は、本当に変わり者でね。懸賞金《けんしょうきん》とかそういう話じゃなく、首無《くびな》しライダーの存在そのものを金に換えようっていうんだからな」

「首無しライダーをお金に⁉　何それ⁉」

「……いや、首無しライダーだけじゃない」

青葉《あおば》はそこで派手《はで》な後輩《こうはい》の顔を思い出し、心底《しんそこ》楽しそうに口元を歪《ゆが》ませた。

「あいつは、とんだ蛇《へび》だよ」

「蛇？」

首を傾《かし》げる舞流に、青葉が続ける。

「池袋《いけぶくろ》そのものを、自分ごと丸呑《まるの》みにする気なのさ」

一章

一章A　探求者《たんきゆうしや》

【東京《とうきよう》ウォリアー】新人記者《きしや》、辰神彩《たつがみあや》のレポートより抜粋《ばつすい》。

池袋《いけぶくろ》には、首無《くびな》しライダーの伝説《でんせつ》がある。

もっとも、都市《とし》伝説という形ならば、首無しライダーそのものは池袋が発祥《はつしよう》というわけではない。

明確に『ここが発祥の地』と言える土地があるわけではないが、噂《うわさ》が広まり始めた地点は全国各地《かくち》に存在している。

元々は、道路に張られたワイヤーによって首を切断《せつだん》されたバイク乗りの怨念《おんねん》という形で、心《しん》霊的《れいてき》要素が強い物として広まってきた。

首の切断事故というインパクトが心霊要素と組み合わさる事で生まれたであろうこの都市伝説は、条件さえ揃《そろ》えば、離れた土地でそれぞれ発祥したとしてもおかしくはない。

しかし、池袋の例は少しばかり趣《おもむき》が異なる。

どちらかと言えば、ネッシーや雪男のような『UMA』が近いと言えるだろう。

なにしろ、首無《くびな》しライダーの姿《すがた》は少なくとも霊感《れいかん》のあるなしに関わらず（霊感というものが実在するかどうかはここでは置いておく事にする）、万人《ばんにん》がその姿を認識《にんしき》する事ができるのだから。

その姿はテレビカメラにもハッキリと映し出され、全国の人間がその姿を知る結果となった。

通常ならば、やらせ映像《えいぞう》か何かかと思われる所だが、何しろ目撃例《もくげきれい》が多すぎる。

元々その『首無《くびな》しライダー』は、20年以上も前から池袋《いけぶくろ》周辺に出没《しゅつぼつ》していたらしいが、カメラ付き携帯《けいたい》電話の普及《ふきゅう》が進むにつれ、より多くの人間にその姿を撮影《さつえい》される事となった。

最初は物珍《ものめずら》しさから、その撮影データを買い取るマスコミも多かったが、現在ではあまりにも数が多すぎる為《ため》、ネットでは犬《いぬ》や猫《ねこ》の動画《どうが》と同じような、極々《ごくごく》ありふれた映像《えいぞう》として認識されている始末《しまつ》だ。

それでも、実際に池袋で目撃した者を除けば、本当に首から上が無い存在が街を走り回っていると信じる者は半々《はんはん》といった所だろう。

私も最初は、テレビカメラの一件はトリック映像だと思っていた。

警察の密着《みっちゃく》取材の最中《さいちゅう》に撮《と》られた映像とはいえ、その密着取材事態《じたい》がやらせだったという事も考えられる。

そう思った私は、ネットに跋扈《ばっこ》する捏造《ねつぞう》写真と同じようなものだと思っていた。

実際に、池袋の街で『それ』と遭遇《そうぐう》するまでは。

エンジン音が無いまま疾走《しっそう》する、光を反射すらしないバイク。

それに跨《また》がる存在はヘルメットを付けていたので、頭部が本当に消失《しょうしつ》しているのかどうかは解《わか》らなかったが、そんな事はどうでも良かった。

猛《もう》スピードで走っているにもかかわらず、エンジンのトルク音が欠片《かけら》もしないという時点で、十分に異常な出来事《できごと》である。

更《さら》に追い打ちをかけるように、白バイに追われていたと思《おぼ》しき首無しライダーは、自らの体から黒い何か——『影』としか表現できないものを操《あやつ》り、自らの前方に黒い道を作りあげたではないか。

正直な話、自分で作った道の上を走るバイクなどという荒唐無稽《こうとうむけい》な光景《こうけい》を見てしまった後では、首無しライダーに本当に首が無いかどうかという事など些事《さじ》に過ぎなかった。


それ以来、私はあの首無しライダーを追い続けている。

結果として、いくつか興味深《きょうみぶか》い情報を得る事ができた。

大王《だいおう》テレビのレポーターが路上《ろじょう》にてインタビューした時に、首無しライダーは手にしていた電子機器《きき》で意思《いし》の疎通《そつう》をしている事が解る。

その映像《えいぞう》の中で、ヘッドライトの無いバイクが首無《くびな》し馬に変貌《へんぼう》するという光景《こうけい》が映し出されていた為《ため》、ネットでは『あの首無しライダーは、デュラハンなのではないか』と言われていた。

デュラハンというのは、アイルランドに伝わる妖精《ようせい》の一種であり、死期《しき》の迫った人間にその事実を伝えるという存在である。

自らの首を小脇《こわき》に抱えているというが、首無しライダーが首を脇に抱えて走っている様子《ようす》は無い。もしかしたらあったのかもしれないが、少なくとも私が目撃《もくげき》した時には首など抱えていなかったし、首無しライダーの映像がいくつもあげられている動画《どうが》サイトなどを徹底的《てっていてき》に調べたが、やはり、首を抱えたりしている映像は無かった。

首無しライダーがデュラハンだという説の根拠《こんきょ》は様々《さまざま》で、中には『あの首無し馬、シュータ一っていうんだって』という曖昧《あいまい》な噂話《うわさばなし》が元になっているものもある。

デュラハンの駆《か》る馬の名前は『コシュタ・バワー』と言うらしいが、それをもじってシューターなのだと。

正直、流石《さすが》にそれは馬鹿《ばか》馬鹿しい話だとは思う。

首無しライダーが、そんな小学生のような安易《あんい》な渾名《あだな》などつける筈《はず》もないだろう。

しかし、重要なのは、そんな馬鹿げた話からでも噂は広まっていくという事だ。

無数《むすう》に広がる噂は、時に真実を覆《おお》い隠《かく》す。

もしかしたら本当にデュラハンと呼ばれる存在なのかもしれないが、噂の胡散臭《うさんくさ》さに埋もれ、結局は曖昧《あいまい》になってしまう。

確かに伝説《でんせつ》にあるデュラハンと共通点は多いものの——そもそもの話、何故《なぜ》アイルランドの妖精が日本《にほん》の池袋《いけぶくろ》を走り回っているのかという説明が付かないため、あくまで余談《よだん》の一つとして記憶《きおく》に留《とど》める事とした。

それよりも私が興味《きょうみ》を引いた情報は、池袋に事務所を構える暴力団《ぼうりょくだん》『粟楠会《あわくすかい》』や、愚連隊《ぐれんたい》である『ダラーズ』との繋《つな》がりである。

また、首無しライダーと行動を共にする事の多いバーテンダーの服を着た男性というのも興味深《ぶか》い。

更《さら》には、2年前に池袋を騒がせた『リッパーナイト』と呼ばれる連続切り裂《さ》き事件。

それにも首無しライダーが関わっているという噂を聞き、私はいてもたってもいられなくなった。

贄川先輩《にえかわせんぱい》に聞いた所、そういう事情に詳しい『情報屋《や》』が居たらしいのだが、一年半ほど前から音信不通《おんしんふつう》になっているらしい。

一年半前と言えば、『ダラーズ』に関する不可解《ふかかい》な事件があり、池袋の空が謎《なぞ》の影に包まれた事件があった。

全ては繋がっているのではないか？

点と点に過ぎなかった事件の数々が、全て首無しライダーを中心に結ばれる気がする。

その疑念《ぎねん》は、徐々《じょじょ》に私の中で確信《かくしん》へと変化していく。

これからも、手にした情報を元に調査を進めていく予定だ。

首無《くびな》しライダーは池袋《いけぶくろ》という町の中でも一つの『力ある存在』になりつつある。

数年前《まえ》、池袋で地上げ騒動《そうどう》があった時に、地上げ屋が首無しライダーの偽物《にせもの》に扮《ふん》して町で暴《あば》れ回るという事件があった。

単純な話、首無しライダーを『危険な存在』に塗り替える事で、地価《ちか》の操作《そうさ》や、あるいは政治家と組んでの再開発利権《さいりけん》にありつこうとしたのである。

要するに、池袋に住む人々の間では、『首無しライダー』とは既《すで》に街の一部として受け入れられているのだ。

好意《こうい》を持つ者も、嫌悪《けんお》する者もそれぞれいる事だろう。

それでも、首無しライダーが『居る』という現実は多くの住民が受け入れているようだ。

正体不明《しょうたいふめい》の化け物《ばもの》でありながら、確かにこの世界に存在している。

この正体を暴《あば》けば、世界は一段階何《なに》か変わるのではないだろうか？

そんな錯覚《さっかく》さえ覚え始める。

いや、錯覚ではないのかもしれない。

記事になるかならないか。

それはもはや、二《に》の次《つぎ》だ。

私はただ、自分の好奇心《こうきしん》を満たす為《ため》に、首無しライダーの正体を暴こうと思う。

メモ

・首無しライダーは女？
・「セルティ」と呼ばれているという証言《しようげん》あり。
・一年半前の、ダラーズの事件に関わりあり？
・同時期、街中《まちなか》に生首《なまくび》が投げ込まれた事件とも関連があり？
・生首は警察車両《しやりよう》が襲撃《しゆうげき》されて何者かに奪《うば》われた後、行方不明《ゆくえふめい》。
※ダラーズの事件では粟楠会《あわくすかい》と警察署《しよ》が銃撃《じゆうげき》されている。→関係あり⁉
・川越街道《かわごえかいどう》での目撃例《もくげきれい》多し。
・有力な情報提供者《ていきようしや》と連絡《れんらく》を取る事ができた。
・明日《あす》、会ってくる。
・結果はこの続きに書き込む。

♂♀

そんな書きかけのレポートを残し、新人《しんじん》記者、辰神彩《たつがみあや》は姿《すがた》を消した。

文章ファイルの入ったノートパソコンは、編集部《へんしゅうぶ》の机の上で開かれたままだった。

画面には慌《あわ》てて打ったと思《おぼ》しき文字が並んでおり、そのまま会社を出たらしい。

メールや携帯《けいたい》も通じなくなり、家族にも連絡《れんらく》がつかないという。

一体『有力な情報提供者《ていきょうしゃ》』とは誰《だれ》だったのか。

同僚《どうりょう》や編集長達《たち》も調べようとしたが、一向《いっこう》に解《わか》らない。

そもそも、電話か手紙かメールか、どのような手段で情報提供者と連絡を取ったのかも解らない状態だ。

当然ながら携帯電話などを持ったままの失踪《しっそう》であり、警察でもなければ、彼女の通話《つうわ》記録を調べる事すらできない。

結局、編集部になんのヒントも残さぬまま、彼女は姿《すがた》を消してしまった。

やがて、首無《くびな》しライダーを追い続けた新人《しんじん》記者の失踪について、一つの噂《うわさ》が広がり始める。

彼女はついに、首無しライダーの正体《しょうたい》を知ってしまったのだと。

だからこそ、彼女は消されてしまったのだと。

首無しライダーの影に呑《の》み込まれたか、あるいは粟楠会《あわくすかい》に身柄《みがら》を攫《さら》われたか。

そんな噂が流れ——捜索願《そうさくねがい》が出された僅《わず》か半日後《ご》にはネットに情報が流れてしまい、彼女自身が『首無しライダー』を取り巻く都市伝説《でんせつ》に取り込まれる結果となった。

曰《いわ》く——『首無しライダーの正体を知った者は、首を刎《は》ねられて死ぬ事になる』と、些《いささ》か悪《あく》趣味《しゅみ》な尾ひれのついた『都市伝説』が、ネットの中で静かに蠢《うごめ》き始める。

『自分の首を探し続けた首無しライダーは、ついに本物《ほんもの》の首を絞《し》めた』

『首無しライダーの事を深く調べ続けると、その者の元に首無しライダーがやってくる』

『自分の事に詳しい人間の携帯電話に、首無しライダーからのメールが届く』

『メールにはこう書かれている。【私に詳しいという事は、お前は私か？　私の首か？】と』

『そして、携帯から顔を上げた瞬間《しゅんかん》に首を刎ねられ、そのまま影の中へと引きずり込まれる』

　人の噂は75日。

　果たして異形《いぎょう》の噂が何日続《つづ》くのか。それは誰にも解らない。

　そんな中、ただ一つ、明確な数字があった。

　辰神彩《たつがみあや》の失踪から15日。

　彼女の生存《せいぞん》は、未《いま》だに確認《かくにん》されていない。

一章Ｂ　来訪者《らいほうしゃ》

4月　池袋《いけぶくろ》

その日、秋田《あきた》から一人の少年が池袋にやって来た。

彼が地元で『化《ば》け物《もの》』と怖《おそ》れられていた事を知る者は、この土地には殆《ほとん》どいない。

新しい土地という事もあり、少年にとってはまさに新しい世界が開ける事となり、池袋もまた、新しい人間を一人受け入れる事になる。

もっとも、少年にとってそこが本当に『新しい世界』となるかどうかは、今後の出会いと巡《めぐ》り合わせ次第なのだが。


新幹線《しんかんせん》を降りた後、山手線《やまのてせん》に乗った少年は、都内の電車の混雑《こんざつ》ぶりに驚いた。

それが、彼が東京《とうきょう》という都市に対して初めて抱いた感情となる。

数ヶ月前《まえ》に受験で訪れた時と、先月に入学手続《てつづ》きに訪れた際は、下宿先《げしゅくさき》でもある親戚《しんせき》に空港から車で送迎《そうげい》して貰《もら》った為《ため》、ここまで人の波を感じる事はできなかった。

いよいよこの日、田舎《いなか》の土地を離れ、下宿先《げしゅくさき》に世話《せわ》になる為に一人で上京したのだが——少年は、早くも東京《とうきょう》の高校を選んだ事を後悔《こうかい》しかける。

人、人、人。周囲のどの方向を向いても人で溢《あふ》れており、地元《じもと》の祭の時ですらここまで人と人の距離が近くなる事はなかった。

ちょっとした群衆酔《ぐんしゅうよ》いを起こしかけていた少年の耳に、すぐ傍《そば》にいる乗客達《たち》の噂話《うわさばなし》が聞こえて来る。

「池袋《いけぶくろ》っつえばさー、首無《くびな》しライダーって、まだいんの？」

「どうだろ。最近ニュースでやんないよね」

「そういえば、ダラーズとかいうのもあったよね」

「あぁ、首無しライダーと同じ頃《ころ》に流行《はや》った奴《やつ》でしょ？」

身動きすら取れない状況なので、少年の耳には声が届くだけで、会話している人間達の人相《にんそう》や風体《ふうてい》までは解《わか》らなかった。しかし、声や喋《しゃべ》り方から、恐らく女子高生か女子大生ではないかと予想できる。

他にも様々《さまざま》な『音』が車内に溢《あふ》れており、少年はその雑多《ざった》なリズムにも酔《よ》いかけていた。

やがて池袋駅に列車が辿《たど》り着き、彼は人の波に流されるまま、階段の下へと降りていく。

「いけふくろう……」

下宿先の人間が、そうした名称《めいしょう》の待ち合わせスポットまで迎えに来ている筈《はず》だ。

待ち合わせの時間まで残り3分。

余裕《よゆう》で間に合うだろうと考えていたのだが、その肝心《かんじん》の『いけふくろう』の場所が解らず、駅員《えきいん》に聞きながらようやく辿《たど》り着いた時には、既《すで》に待ち合わせの時間を10分程《ほど》過ぎてしまっていた。

少年がやっとの事でいけふくろうの像《ぞう》の前に辿り着くと、そこは人でごった返している。

どうやら定番《ていばん》の待ち合わせスポットらしく、梟《ふくろう》の像とやらは人の山にぐるりと取り囲まれてしまっていた。

どうすればいいのか解らずにうろうろしていると、背後から声を掛けられる。

「やあ、八尋君《やひろくん》。一ヶ月ぶりかな」

振り返ると、そこにはかっちりとしたスーツを着た、30前後の男が立っていた。

その男の顔を思い出し、名前を呼ばれた少年——三頭池《みずち》八尋は、慌《あわ》てて頭を下げる。

「お久しぶりです、渡草《とぐさ》さん」

「ああ、いいよいいよ。そんな畏《かしこ》まらなくて」

男はそう言いながら、流れるように歩き出す。

「じゃあ、家までまた案内するよ。タクシーで行こう」

愛想《あいそ》良く笑う生真面目《きまじめ》そうな男に、八尋《やひろ》は改めて一礼《いちれい》した。


男の名前は渡草《とぐさ》二郎《じろう》。

三頭池《みずち》家に婿《むこ》入りした八尋の父の遠縁《とおえん》にあたる人物で、池袋近郊《いけぶくろきんこう》でアパートを数軒《すうけん》経営している青年実業家《じつぎょうか》だ。

本宅《ほんたく》と併設《へいせつ》しているアパートが一部屋空《あ》いている為《ため》、下宿用《げしゅくよう》の部屋として今回用立《ようだ》てて貰《もら》った形となる。

高校生活の3年間世話《せわ》になる事もあり、迷惑《めいわく》ではないかと思ったが、管理人《にん》である二郎の姉が『大丈夫《だいじょうぶ》大丈夫、そこ事故物件《ぶっけん》で、どうせ普通の客は入らない所だから』と、あまり知りたくなかった情報を教えてくれた。

「本当は、君の受験の時みたいに三郎《さぶろう》に車を出させる予定だったんだけど、今日《きょう》は聖辺《ひじりべ》ルリのコンサートらしくてね。にべもなく断られたよ」

タクシーの後部《こうぶ》座席の中で、弟の名前を出しながら呆《あき》れたように二郎が笑う。

「まったく、三郎は本当に聖辺ルリのファンでね。ファンクラブの会員ナンバーも確か一桁《ひとけた》だった筈《はず》だよ」

三郎というのは彼の弟で、大型のワゴン車を所有《しょゆう》しており、受験の時などに送り迎えをして貰《もら》った。しかし、何故《なぜ》か後部座席に乗っていた三郎の友達という男女にずっと漫画《まんが》やアニメの話をされていた事ばかりが記憶《きおく》に残り、肝心《かんじん》の運転手の顔が八尋の中でおぼろげだった。

「君達の世代《せだい》でも、人気なのかい、聖辺ルリ」

「あ……はい。俺《おれ》も、ファンです」

「ああ、若い子にも人気っていうのはいいねえ。俺はアイドルとかあんまり詳しくないんだけどさ。聖辺ルリには感謝してるんだよ。喧嘩《けんか》ばかりしてて荒れてた弟が、あの娘《こ》のおっかけやってる間は本当に人間らしくなるからなあ」

「……喧嘩、ですか」

二郎の言葉に、八尋が反応する。

その意味を考える事もなく、二郎は笑いながら言った。

「ああ、そっちも俺《おれ》は詳しくないんだけどさ、ブルーなんたらだのダラなんたらだの、そういうチームに入ってた事もあるみたいでね。今は、せいぜい何人かの友達と連《つる》んでるぐらいだけど。まあ、そのグループのリーダーの門田君《かどたくん》って子が、今時珍《いまどきめずら》しく男気《おとこぎ》のある子でねぇ、左官《さかん》屋《や》さんやってるから、うちのアパートでもたまに壁の修繕《しゅうぜん》とかしてもらうんだけどさ」

「門田さん……ですか」

「そうそう。まあ、昔は池袋もカラーギャングだらけでさ。埼玉《さいたま》の子達が乗り込んで来て大乱《だいらん》闘《とう》になったりとか、色々と凄《すご》かったもんだよ。だけど、今はカラーギャングなんて殆《ほとん》ど見かけないねえ。去年ぐらいから、黄色《きいろ》いバンダナした子達も見なくなったし」

どちらかと言えば無口《むくち》な八尋《やひろ》に対し、二郎《じろう》は一方的に語り続ける。

八尋にとっては、寧《むし》ろそれが嬉《うれ》しかった。

家族以外《いがい》で、こうして普通に話しかけてくれる人など久しぶりだったからだ。

少年は思う。

――この人は、親父《おやじ》達から自分の事をどれだけ聞いているのだろうか？

故郷《こきょう》での自分の悪名《あくみょう》は、八尋自身《じしん》も理解している。

だからこそ、彼は導かれるようにこの新天地《しんてんち》にやって来たのだ。

子供の頃《ころ》から、理不尽《りふじん》な喧嘩《けんか》に巻き込まれてきた。

適当にいなして愛想笑《あいそわら》いでもしておけば、向こうも無理《むり》に暴力《ぼうりょく》を振るってくる事はなかったのかもしれないが――それに気付けるほどに成長した時には、全てが後《あと》の祭りだったのである。

池袋《いけぶくろ》という新天地に期待する事は三つ。

一つは、自分の悪名を知らない土地で、普通の人生を過ごせるかもしれないという事。

もう一つは――もしもそれが叶《かな》わず、喧嘩に巻き込まれる事態《じたい》になったとしても――ネットで見たような怪人《かいじん》達が跋扈《ばっこ》しているならば、自分は『化《ば》け物《もの》』などと呼ばれずに済むのではないかという事だった。

少なくとも、あの旅行者は自分の事を『人間だ』と言ってくれた。

ただそれだけの事で、どこか救われた気がした。

そして、池袋という街に期待する最後の一つは――

この街ならば、すべてを諦《あきら》めていた自分自身《じしん》の存在に、あるいはこれからの人生に、僅《わず》かなりとも希望を見出《みいだ》す事ができるのではないだろうかという事だった。

だが、まだ自分はこの街の事を何も知らない。

ネットや雑誌《ざっし》で見た情報だけで、実際にこの街を見たわけではなかった。

八尋は気を引き締《し》め直し、真剣な表情でタクシーの窓から見える街の様子《ようす》を観察する。


そんな彼を見て、渡草《とぐさ》二郎は思う。

――ああ、こんなに真剣に街を見て、きっと新しい生活に胸を膨《ふく》らませてるんだな。

――いい子じゃあないか。三郎《さぶろう》にも見習って欲しいもんだ。

三頭池家《みずちけ》から何一つ八尋の事情を聞かされていない彼は、暢気《のんき》にそのような事を考えていた。

自分の隣《となり》にいる少年が、地元《じもと》でどれほど怖《おそ》れられていたかも知らぬまま。


こうして、池袋に一人の少年がやって来た。

他の来訪者《らいほうしゃ》達と何一つ変わる事なく、池袋《いけぶくろ》の街は少年を受け入れる。

ただ、それだけの事だった。

少なくとも、この時点では。

♂♀

数日後《ご》　来良《らいら》学園

入学式を終えて教室に入った八尋《やひろ》を待ち受けていたのは、クラスメイト全員の前での自己紹《しょう》介《かい》という、新入生《しんにゅうせい》にとっては至極《しごく》普通のイベントだった。

出席番号順《ばんごうじゅん》に一人一人黒板《こくばん》の前に立ち、名前と共に簡単な自己紹介を続けていく。

五十音順の出席番号なので、三頭池《みずち》八尋はかなり後の方となる。

新しい生活の幕開《まくあ》けという事もあり、八尋は心地《ここち》好い緊張《きんちょう》と共に他の生徒達の自己紹介の様《よう》子《す》を眺《なが》めていた。

「琴南久《ことなみく》音《おん》っす。お願いしゃーす」

黒板の前にその少年が立ったとき、教室の空気が明らかに変わる。

入学式前後《ぜんご》にもチラチラと目に入ってはいたが、まさか同じクラスだとは思っていなかった。

──凄《すご》い髪《かみ》の色だなあ。緑色《みどりいろ》って……。

──そっか、この高校、髪染《かみぞ》めもピアスも自由だったっけ。

そんな事を考えながらも、『バンドでもやっているんだろう』と受け流す事にする。

地元では見た事が無かったが、東京《とうきょう》ならば普通のファッションなのかもしれない。

しかし、周囲のクラスメイト達も物珍《ものめずら》しげに見ている事に気付き、八尋は認識《にんしき》を改めた。

──まあ、話してる感じからして、粗暴《そぼう》な人じゃない……と思うけど。

地元で自分に絡んで来た面々《めんめん》の事を思い出そうとするが、彼の中で記憶《きおく》はおぼろげだ。

八尋にとって不良達《ふりょうたち》は、ただ、自分に理不尽《りふじん》な暴力《ぼうりょく》を振るってくる存在──恐怖《きょうふ》の対象《たいしょう》でしかなかった。

結果的には、最後にはいつも自分の方が化《ば》け物《もの》呼ばわりされている。

それも理不尽だと思っていた。

化け物めと叫びたいのはこちらの方だ。

良く解《わか》らない理由で、突然《とつぜん》人に暴力を振るってくる方が余程《よほど》化け物だろう。

過去から積み重なる鬱屈《うっくつ》とした記憶を思い出し、八尋は鬱々《うつうつ》とした気分になりかけた。

そんな気分を振り払う為《ため》、八尋は再び自己紹介に集中する。

先刻《せんこく》の緑頭《みどりあたま》のインパクトが強すぎるのか、他に八尋《やひろ》の目を引いたのは、単純に美人だと感じた女子生徒《せいと》ぐらいだった。

「辰神姫香《たつがみひめか》です。よろしくお願いします」

スラリとしたフォルムで、化粧《けしょう》っ気《け》が薄い黒髪《くろかみ》の少女。

物静《ものしず》かであり、さりとてオドオドしているわけでもない、さらりとした清流《せいりゅう》のような調子で語られる自己紹介《しょうかい》に、聞いている八尋の方が心を落ち着けられる感じさえした。

——ああ、東京《とうきょう》ってみんな顔に靴墨《くつずみ》とか塗《ぬ》ってる子ばっかりだと思ってたけど、違うんだ。

——なんだっけ、ガングロだったかな。

ここに来る前に、一体いかなる雑誌《ざつし》や情報サイトで情報を集めたのか。

10年以上前《まえ》の『都会のギャル』のイメージを思い浮かべていた八尋は、クラスに色白《いろじろ》の子が多い事実にまず驚いたのである。

そんな歪《いびつ》なカルチャーショックを受けている間に、あれよあれよと自己紹介は進み——

とうとう、八尋の番がやってきた。

「あ……三頭池《みずち》八尋です。秋田《あきた》から来ました。宜《よろ》しくお願いします」

——よし、ちゃんと標準語《ひょうじゅんご》で……言えたよな？

八尋は東京生まれの父や観光客《きゃく》、家で不《ふ》自由しなかった本や映画のＤＶＤ等の影響《えいきょう》で、標準語は普通に話す事ができる。

学校で殆《ほとん》ど話をせず、友達もいないせいか、逆に地元の方言《ほうげん》を話す方が難しいほどだ。

祖《そ》母《ぼ》や母が使う訛《なまり》の強い方言は、喋《しゃべ》る事はできないが、聞き取る事はできた。また、祖母も仕事柄《しごとがら》標準語を聞き取れる為《ため》、家族間《かん》の会話に支障《ししょう》は無かったのである。

それでも、自分がきちんと標準語を話せているかどうか不安ではあったが、皆の反応を見るに、どうやら問題はないようだ。

教卓《きょうたく》の後ろからクラス内を眺《なが》めると、皆からの視線が自分に集まっているのがよく解《わか》る。

怖《おそ》れや恐怖《きょうふ》や憎《にく》しみといった負の感情がない、純粋《じゅんすい》な好奇心《こうきしん》の目だ。

興味《きょうみ》が無いものは最初からこちらを向いていないので、そもそも目も合わない。

そんな状況を前に、少年は改めて実感《じっかん》した。

この場所が、『自分への評価《ひょうか》がリセットされた、新しい環境《かんきょう》』なのだと。

そんな、彼にしか解らない感動を味わっていると、他の生徒達と同じように、軽い質疑応答《しつぎおうとう》の時間になった。

他の生徒達は質問される事も少なく、このまま何も答える事なく自分の席に戻る事になるだろうと思っていた八尋だったが――

秋田というキーワードに女子生徒《せいと》が一人食いつき、手もあげずに直接質問《しつもん》を口にする。

「なんで秋田から来たの？　ここ、進学校《しんがくこう》でもないのに」

当然と言えば当然の疑問に、彼は少し戸惑《とまど》った。

何故《なぜ》池袋《いけぶくろ》に来たのか。

都会に憧《あこが》れていたから、というわけではない。

家庭の事情があるわけでもない。

そこで彼は気が付いた。

有名な進学校《しんがっこう》というのならばともかく、大半《たいはん》が地元《じもと》や近県《きんけん》の子供達で埋まる来良《らいら》学園にわざわざ来るという時点で、彼らにとって八尋《やひろ》は十分『奇妙《きみょう》な存在』なのだと。

しかし、八尋はここで何か説得力《せっとくりょく》のある嘘《うそ》がつける性格ではない。

また、嘘をつく事に意味も無いと思っていた。

——ああ、だけど……。

——喧嘩《けんか》の事は、黙《だま》っておいた方がいいよなあ。

——多分《たぶん》。

周囲から怖《おそ》れられて孤独《こどく》な少年期を過ごした為《ため》、八尋は、あまりこうした状況での処世術《しょせいじゅつ》になれていない。

それでも彼なりに頭を働かせ、嘘はつかず、さりとて一部を隠《かく》すという答えに思い至った。

「ええと……」

もっともそれは、生徒達には軽い冗談《じょうだん》としか聞こえなかったのだが。

「……首無《くびな》しライダーを、見に来ました」

軽い笑いに包まれた教室の中で、八尋はその反応に混乱《こんらん》する。

――？　？　？

――あ、あれ、なんか笑われるような事言ったかな？

嘲笑《ちょうしょう》というわけではなく、純粋《じゅんすい》に『新入生《しんにゅうせい》のジョークに笑った』という空気なので、特に問題があるわけではない。

ただ、『首無しライダーなんて実は池袋にはいない』というオチだったならば、自分は一体どうすればいいのだという不安が八尋の心を揺さぶっていた。

「そっかー、秋田《あきた》じゃいないもんね、首無しライダー！」

「うち、しょっちゅう見るけどね」

「でも、最近は見なくない？」

そんな女生徒達の会話を聞いて、八尋はホッと胸をなで下ろす。

――良かった。

――やっぱりちゃんといるんだ。首無しライダー。

安堵《あんど》と共に改めて教室内を見る八尋は、ある事に気が付いた。

先刻《せんこく》まで八尋《やひろ》の自己紹介《しょうかい》に興味《きょうみ》がなく、『こちらを向いていなかった者』の内の二人が、こちらに奇妙《きみょう》な視線を向けているではないか。

——……？

一人は、琴南久音《ことなみくおん》と名乗った緑髪《りょくはつ》の少年。

もう一人は、辰神姫香《たつがみひめか》と名乗った、先刻《せんこく》八尋が目に留めた美《び》少女だった。

久音は、顔は笑っているものの、笑顔の意味が少し周りと違って見える。

まるで、面白いオモチャを見つけた子供のような目だ。

それも気になったが、八尋としては、姫香の視線の方が気になった。

特に顔に表情は浮かんでいないが、少なくとも、笑ってはいない。

ただ、鋭さと冷たさを感じるような瞳《ひとみ》をこちらに向けてくる少女が気になったが——

今の状態の八尋には、彼女に声を掛ける事などできよう筈《はず》もなかった。

♂♀

放課後《ご》

なんとか無難《ぶなん》に初日《しょにち》を終えたと、荷物の整理を始める八尋。

周囲の生徒達は既《すで》に帰り支度《じたく》を終えており、中学時代からの仲間達と話しながら教室を後にして行った。

当然ながら、中学時代の同級生はいない。

居たとしても、友達ではない。

向こうからすれば、一緒《いっしょ》に帰るなど言語道断《ごんごどうだん》だろう。

——友達かあ。

——できたこと、ないからなあ。

小さく溜息《ためいき》を吐きながら、八尋は考える。

——友達ができたとしても、俺《おれ》の過去とか知られたらドン引きされるよなあ。

——そのまま絶交《ぜっこう》されて嫌《いや》な思いするぐらいなら、まあ、友達とか作らない方が面倒《めんどう》じゃないかもしれないなあ。

八尋はそんな事を考えながら荷物を詰め終え、鞄《かばん》を肩にかけて席を立った。

そのまま窓に寄り、外の景色《けしき》を見る。

地元とは全く違う景色が広がる池袋《いけぶくろ》の街を見て、八尋は奇妙《きみょう》な高揚心《こうようしん》に包まれた。

——ああ、なんだろう。

——これ、ワクワクしてる……っていうのかな。

——こんな感覚、初めてかもしれない。

腹の底から湧《わ》き上がる疼《うず》きを感じながら、八尋《やひろ》は思わず微笑《ほほえ》んだ。

そして、そろそろ誰《だれ》も居なくなっただろうかと思いながら背後に振り返り――


少女と、再び目が合った。


ギョッとして、思わず相手の顔を見つめ返す。

忘れようもない顔だった。

辰神姫香《たつがみひめか》が、先ほどと同じ目で自分を見つめている。

「……何か、おかしい？」

己《おのれ》の頬《ほお》をさすりながら尋《たず》ねる少女に、八尋はハッとした。

自分が、完全に笑顔のまま固まってしまっていたという事に。

「あ、いや、違うよ。街を見て笑ってただけ」

「……街が、何か面白かったの？」

「いや、別に」

「ふうん……」

軽く首を傾《かし》げながら、姫香は肩越《かたご》しに窓の外の景色《けしき》を軽く眺《なが》めた。

そんな彼女を前に、八尋は何をどうしていいのか解《わか》らずに固まってしまう。

教室には、既《すで》に自分と姫香を除いて誰《だれ》もいない。

彼女は地元の友達と一緒《いっしょ》に帰らなかったのだろうか？

姫香は窓の外を眺め終えると、そんな事を考えていた八尋に再び視線を向け、言った。

「変わってるね、君」

「え……そう？」

――どうしよう。

――もしかして、俺《おれ》、この子に何か失礼な事をしたのかもしれない。

『変わっている』という言葉に悪意《あくい》や嘲笑《ちょうしょう》のような意味が込められているようには感じなかったのだが、まともな人付き合いの経験が少ない八尋としては、どうしても『自分が何か間違えたのではないか』という不安がぬぐえなかった。

するると、少女は無《む》表情のまま口を開く。

「ねえ」

「な、なに？」

「さっきのって、冗談《じょうだん》？　それとも本気《ほんき》？」

「さっきの？」

――どうしよう。

――やっぱり何かしちゃったのかな、俺。

必死で自分の今日《きょう》一日の行動を思い出す八尋《やひろ》に、姫香《ひめか》が言った。

「自己紹介《しょうかい》の時の、『首無《くびな》しライダーを見に来た』っていう話」

「えッ？」

一瞬《いっしゅん》の間を置き、八尋は自分の発言を思い出す。

「ああ、そうか、あれか……」

「どうなの？ やっぱり、冗談《じょうだん》？」

「……もしかして、みんな、冗談に聞こえてたのかな？」

「え？」

今度は、姫香の方が首を傾《かし》げた。

「だから、みんな笑ってたんだと思うけど」

「ああ、そうか……なるほどね」

──そうか、冗談だと思われてたのか。

──だからみんな笑ったんだな。

──……なんで冗談だと思われたんだろう？

──首無しライダーを見たいって、そんな変な理由だったかな？

池袋《いけぶくろ》の人間にとって、もはや首無しライダーはさほど珍《めずら》しい存在ではない。

だからこそ、わざわざそれを見るためだけに高校3年間の人生を選ぶ者など居るはずが無いと思っていたからこそ、彼らは冗談だと受け取ったのだが——

八尋にとっては、3年どころか今後の人生全《すべ》てを左右しかねない事案《じあん》だという事を、誰《だれ》も知らない。

当然ながら、目の前にいる少女も含めて。

「いや、教えてくれてありがとう。疑問が解《と》けたよ」

何故《なぜ》礼《れい》を言われたのか解《わか》らず、少女は僅《わず》かに戸惑《とまど》いを見せる。

だが、表情は崩《くず》さぬまま、淡々《たんたん》と先刻《せんこく》の質問の続きを口にした。

「……じゃあ、やっぱり本気《ほんき》だったの？」

「まあ、理由の一つではあるよ」

「……そう」

姫香はやはり淡々とした調子で、しかしハッキリと八尋に告げる。

「やめた方がいいよ」

「え？」

「首無しライダーには、深入《ふかい》りしないで」

「どうして？」

当然のことを尋《たず》ねる八尋だが、姫香はただ首を振るだけだった。

「それは言えない」

「へ？」

「とにかく、忠告《ちゅうこく》はしたからね」

そのままクルリと背を向け、足早《あしばや》に立ち去ろうとする少女。

「待って！」

普通の少年ならば、そのまま少女を見送る事しかできなかったのかもしれないが——

喧嘩《けんか》慣《な》れした八尋《やひろ》の反射神経《しんけい》が、少女の動きに即座《そくざ》に反応してしまう。

八尋は、なんの躊躇いもなく少女の後ろ襟を掴み、勢い良くグイ、と引っ張った。

「えッ……ぐッ……」

首が絞《し》まる事で息を詰まらせながら、姫香《ひめか》の体が後ろに引き戻される。

「……ッ」

手足をばたつかせる少女を見て状況に気付き、八尋は慌《あわ》てて手を放した。

「あぁッ!?　ご、ごめん！　つい……」

暫《しばら》くケホケホと咳《せ》き込んだ後、姫香は深《しん》呼吸をしてから八尋の顔をじっと見る。

「……まさか、首を絞めてまで引き止められるとは思わなかったよ」

その顔に恨《うら》みの色などはなく、純粋《じゅんすい》に驚いているという感じだった。

しかしながら、生来《せいらい》のものなのか、姫香の顔は凛《りん》としているものの表情そのものの変化が乏《とぼ》しい為《ため》、感情を完全には読み取れない。

「本当にごめん。大丈夫《だいじょうぶ》？」

「うん、もう平気《へいき》」

「ごめん……俺《おれ》、怖《こわ》くて、つい」

「……怖い？」

再び首を傾《かし》げる彼女に、八尋が言った。

「ああ、俺、人一倍臆病《ひといちばいおくびょう》でさ……。君が不安になるような事を言って、理由は言えないなんて言うもんだから……。急に怖くなって……。ああいや、言い訳《わけ》できる事じゃないよね。ごめん」

改めて頭を深く下げる八尋に、姫香は大きく息を吐き出し、淡々《たんたん》と尋《たず》ねた。

「……臆病なのに、首無しライダーが見たいの？」

「ああ、臆病だから、見たいんだ」

「？」

「その、色々とあってさ」

八尋の言葉の意味が解《わか》らず、暫《しば》し沈黙《ちんもく》した姫香だったが——

彼が言葉の続きを口にするつもりが無いと解ると、再び口を開く。

「やっぱり、君、変わってるね」

「そうかな」

「じゃあ、交換条件《こうかん》にしようか」

「交換条件？」

唐突《とうとつ》な言葉に、今度は八尋《やひろ》が首を傾《かし》げた。

「君が首無《くびな》しライダーを見たい理由を話してくれるなら、私も首無しライダーに近づかない方がいい理由を教えてあげる」

やはり淡々《たんたん》とした調子だったが、僅《わず》かに前向きな感情が込められている。

「それは……」

「まあ、明日《あした》でもいいよ。別に今日《きょう》、これから首無しライダーを探して街を歩き回るわけじゃないでしょう？」

「ああ、まあ、そりゃ初日《しょにち》だしね」

素直に頷《うなず》く彼を見て、少女はゆっくりと頷いた。

「なら、大丈夫《だいじょうぶ》かな」

そして、姫香《ひめか》は乱れた襟《えり》を整え、そのまま立ち去ろうとする。

ふと、彼女は教室のドアの辺りで足を止め、こちらを振り返りながら言った。

「ごめんね」

「え？」

突然《とつぜん》謝られた理由が解《わか》らない八尋に、彼女が続ける。

「さっきのは……怖《こわ》がらせるつもりとかじゃなくて、本当に忠告《ちゅうこく》のつもりだったの」

八尋は、そのまま去って行く少女の背を見つめる事しかできず、今度は引き留める事ができなかった。

♂♀

校門前

「ああ、襟で首を絞《し》めちゃった事、もう一回ちゃんと謝っておけば良かった……」

そんな自己嫌悪《けんお》に陥《おちい》りながら、八尋はとぼとぼと校舎を後にする。

すると、校門を出た所で、そんな彼に声を掛ける少年がいた。

「よッ。元気かい、八尋くーん」

長年の友人であるかのような軽さで声を掛けてきたのは、自己紹介《しょうかい》の際、一度見《み》ただけで顔を覚えた少年である。

「ええと……コトミネ君だっけ」

「ちょ、違う違う！　琴南《ことなみ》だよ、こーとーなーみ！　まあ、久音《くおん》でいいよ。その方が覚えやすいだろ？　俺《おれ》も先走《さきばし》って八尋くんって下の名前で呼んじゃったから、これでイーブンね！」

ヘラヘラと笑いながら身勝手《みがって》な事を言うのは、緑《みどり》に染まった髪《かみ》を風に靡《なび》かせる琴南久音《ことなみくおん》だ。

突然明《あか》るく喋《しゃべ》りかけられた八尋《やひろ》は、先刻《せんこく》の姫香《ひめか》と同じような理由で戸惑《とまど》った。

——ええと。

——俺《おれ》、この人に何かしたっけ。

そんな疑問をよそに、久音はマシンガンのような勢いで一方的に話し続ける。

「待ってたのに中々来ないからさー。学校の中でも見て回ってるのかと思ったよ。ああ、俺も見て回っておけば良かったかな。明日《あした》からは部活《ぶかつ》の新入生勧誘《しんにゅうせいかんゆう》が始まるっていうから、ゆっくり見て回れないだろうしさぁ。あ、もう部活とか委員会決《き》めてる？　俺のお勧めは図書委員なんだけど、どうよ。俺は面倒臭《めんどくさ》いから部活も委員会も入らないつもりだけど」

「……そうなんだ、教えてくれてありがとう」

困惑《こんわく》しながらも、八尋は馬鹿《ばか》正直に礼《れい》を言う。

久音はそんな彼の肩をバシバシと叩《たた》きながら、やはり一方的に語り続けた。

「いやー、自己紹介《しょうかい》の時にピンと来たね！　八尋くんとはいい友達になれるってさ！　なんせ、高校の志望動機《しぼうどうき》が一緒《いっしょ》なんだもんよ！」

「え？」

更《さら》に混乱する八尋に、久音はニコニコと笑いながら尋《たず》ねる。

「この後暇《ひま》かい？　なんか予定あったりする？」

「いや、下宿先《げしゅくさき》に帰るまでは、特にないけど」

「そっか、門限《もんげん》とかあるの？　ああ、まあ常識《じょうしき》的に考えて、8時ぐらいまでは大丈夫《だいじょうぶ》だよな？」

「ああ、まあ」

曖昧《あいまい》に答える八尋の言葉を聞き、久音はポンと両手を叩《たた》いた。

「じゃ、決まりだ！　いこうぜ！」

「どこに？」

「池袋《いけぶくろ》の街だよ。狙《ねら》い目は、西口《にしぐち》公園あたりかな」

「何しに？」

ナンパか何かでもするつもりなのだろうか。

――どうしよう。ナンパなんてやったことない。

――入学初日から、クラスメイトの足手《あしで》まといになるのは嫌《いや》だな……。

――ただでさえ、さっき辰神《たつがみ》さんの首を絞《し》めちゃったばかりなのに……。

そんな微妙《びみょう》にズレた不安を覚える八尋に、久音はあっさりと切り出した。

「何って、決まってるだろ？　探すんだよ」

「何を？」

「何をってお前」

肩を軽く竦《すく》めつつも、久音は笑いながら親指《おやゆび》をビっと天に突き立てる。

「首無《くびな》しライダー、俺達《おれたち》で見つけちゃおうぜ？」

間章　ネットの噂《うわさ》①

池袋《いけぶくろ》情報サイト『いけニュ～！　バージョンI．KEBU．KUR．O』

人気《にんき》記事『【都市伝説《でんせつ》終了のお知らせ】首無しライダーって最近見《み》ないよな』

・【首無しライダーはどこへ消えた？】――（東京《とうきょう》ウォリアー電子版より転載《てんさい》）

かつて、池袋《いけぶくろ》を闊歩《かっぽ》していた都市伝説といえば【首無しライダー】だが、半年ほど前から、その目撃例《もくげきれい》が激減《げきげん》しているらしい。

3年前《まえ》、大王《だいおう》テレビの警察密着報道《みっちゃくほうどう》取材の最中《さいちゅう》にハッキリと撮影《さつえい》され、全国的にブームとなった【首無しライダー】。東京《とうきょう》都内における目撃例そのものは、20年以上も前からあるというのは意外《いがい》と知られていない。

芸能プロダクションの社長によって多額《たがく》の賞金を懸《か》けられ、『首無しライダー狩《が》り』が起こった事もあったが、そんな騒ぎの後も、【首無しライダー】は気にした様子《ようす》も無く無灯火《むとうか》の暴《ぼう》走行為《そう》を続けていた。

首無《くびな》し馬に変身《へんしん》するエンジン音の無いバイク。そして、それに跨《また》がり漆黒《しっこく》の鎌《かま》を振るう無頭《むとう》の乗り手。

一度見《み》れば目に焼き付いてトラウマになりそうな存在だが、大通りを普通に走っているせいか、目撃者《もくげきしゃ》が絶える事はなかった。

しかし、半年ほど前から動画《どうが》サイトなどへの【首無しライダー目撃映像《えいぞう》】の投稿《とうこう》がパタリと止み、SNSサイトなどのサイトで【首無しライダー】と検索《けんさく》しても、『最近見《み》ない』という呟《つぶや》きやブログが出てくるばかりである。

果たして、本当に首無しライダーは池袋《いけぶくろ》の街から消えてしまったのだろうか。

池袋を中心として活動するライター、九十九屋《つくもや》真一《しんいち》氏は、この件に関してブログに『首無しライダーはただ、伝説《でんせつ》を生むのに疲れただけ。休めばまた帰ってくるだろう』とコメントしている。

——（記事の続きは元記事《もと》へGO）

『いけニュ～！』管理人《にん》コメント

「知らんかったけど、20年以上前から目撃されてたなりか。

そりゃ、二十歳《はたち》ぐらいから走り回ってたとしたら中の人も40過ぎなりよ。

いい歳《とし》こいたアラフォーがオバケのコスプレして街中《まちなか》走る恥《は》ずかしさに気付いたなりか？

流石《さすが》に自重《じちょう》する年頃《としごろ》なりよ〜。

40過ぎて子供向《む》けアニメとか見たりしてるお前らも他人事《ひとごと》じゃないなりよ？」

管理人『リラ・テイルトゥース・在野《ざいや》』

♂♀

呟きサイト『ツイッティア』より、一般《いっぱん》人の呟きを一部抜粋《ばっすい》。

・首無しライダー、最近見ないよね。
→もう消えたんじゃね。一発屋《いっぱつや》だったんだよ。一発屋。
→そりゃないって。俺《おれ》が子供の頃《ころ》からいたし。
→それどころか、親父《おやじ》の代からいたらしいぜ。
→何歳《なんさい》だよ、首無しライダー。

・首無《くびな》しライダーって言えばさ、一昨年《おととし》ぐらい、なんか凄《すご》いのあったよね。空がグワーって暗くなって、朝になっても真《ま》っ暗《くら》だった日。あれ、もしかして首無しライダーの影だったんじゃないかな。

→ああ、あったあった！　あれ、マジでなんだったんだろうな。

→黄砂《こうさ》か何かの影響《えいきょう》って言ってなかったっけ？

→絶対あれ黄砂なんかじゃないって。それにほら、あの日ってなんか夜中凄《すご》かったんだよね。色々と。暴走族《ぼうそうぞく》がすげえ五月蠅《うるさ》かったし。なんか銃撃《じゅうげき》事件もなかったっけ。

→ああ、あったあった。高校生が暴走族の流れ弾《だま》に当たって死んだんだっけ？

→生きてなかったっけか。

→あれは生きてた筈《はず》。

→そっちじゃなくて、粟楠会《あわくすかい》とか警察署《しょ》が撃《う》たれた話じゃない？

・首無しライダーって、もう見れないのかな。

→見れなくていいよ。正直、車に乗ってていきなり横とか通り抜けるとビビる。

→あれ、よく今まで大きな事故《じこ》一度も起こしてないよな。無灯火《むとうか》だしよ。

→向こうが良くても、こっちがビビるんだよなー。

→交機《こうき》の人達にはマジで頑張《がんば》って欲しい。

・ついにやった。首無しライダーに会えるかもしれない。

・明日《あした》、伝説《でんせつ》の首無しライダーと知り合いだって人と話せる事になったよー！　楽しみ！

→ねー、結局どうだったの？

→ここで呟《つぶや》き終わってるじゃん。これまで一日も欠かさず呟いてたのに。

→ホラーっぽい。

→首無しライダーに消されてたりして（笑）

　→マジで失踪《しっそう》したらしいから、笑い事じゃないっすよ。

　　→えッ⁉　そうだったんですか！　すいません。

→みんな心配してるから、無事《ぶじ》ならまたすぐに呟いて下さいー。

二章

二章Ａ　失踪者《しっそうしゃ》

目出井組《めでいぐみ》系粟楠会《あわくすかい》は、池袋《いけぶくろ》に広く縄張《なわば》りを持つその道の組織である。

粟楠道元《どうげん》を組長《くみちょう》とし、目出井組の中でもトップクラスの勢力《せいりょく》を誇《ほこ》る一派《いっぱ》として、警察のみならず大手《おおて》企業《きぎょう》やマスコミからも注意深くマークされている団体だ。


そんな組織《そしき》の幹部《かんぶ》の一人である四木《しき》が、今朝《けさ》早くから粟楠会の本部へと呼び出される。

特別な心当たりが無い四木は、半分警戒《けいかい》しつつも本部を訪れたのだが――

彼を待っていたのは、全く予想《よそう》外の方向からの『流れ弾《だま》』だった。


「失踪、ですか」

四木の言葉に、革張《かわば》りの椅子《いす》に座った男――粟楠会の若頭《わかがしら》、粟楠幹彌《みきや》が高級そうな木製机越《づくえご》しに答える。

「ああ、そうだ。若い奴《やつ》を中心に、最近うちの縄張り《営業区域》の中で多発《たはつ》しててな」

現組長《げんくみちょう》の次男《じなん》であり、一番跡目《あとめ》に近いと言われている幹彌《みきや》だが、それを快く思っていない幹《かん》部《ぶ》も存在する為《ため》、決して周りに弱みは見せられない立場だ。

近年、彼らのような組織《そしき》では実の子に代目《だいめ》を継《つ》がせる事は少なく、更《さら》に幹彌の兄が堅気《かたぎ》の道を歩んでいるという事もあり、彼が自ら望んでこの世界に飛び込んできた事は知られている。親の七光《ななひか》りなどと陰口《かげぐち》を叩《たた》く者の多くを実力でねじ伏せ、現在は幹部の一人である青崎《あおざき》と睨《にら》み合っている状況だ。

「15前後のガキから、20代の雑誌《ざっし》記者まで色々だがな」

そんな男に苦虫《にがむし》を噛《か》み潰《つぶ》した顔で言われ、四木《しき》はどう反応すべきか数秒思案《しあん》した後、答える。

「初耳《はつみみ》ですね、増えたというのは、どの程度《ていど》の割合です？」

「元の数は知らねぇが、俺《おれ》が把握《はあく》してるだけでも、ここ一ヶ月だけで十五件だ」

「……」

その話を聞いて、四木は僅《わず》かに考え込んだ。

──恐らく、若頭《わかがしら》が警察《けいさつ》内部に飼《か》ってる情報屋《や》からのネタだろう。

──だとしたら、数字は正しいと見ていい。

──確かに、十五人消《き》えた、っていうなら多い気もするが……。

しかしながら、と四木は思い直す。

捜索願《そうさくねがい》が出されるレベルの失踪者《しっそうしゃ》数は、年によってばらつきは多いものの、日本ではおおよそ年間《ねんかん》八万人前後といったところだ。

多い年には十万人を超えた事もある事を考えれば、十五人という数字は決して多い数字とも言えない。

「東京《とうきょう》の人口を考えれば、家出人《いえでにん》も考えりゃ驚くほどの数字じゃないんじゃありませんか？　騒ぐほどの事じゃあないでしょう」

当然ながら、失踪人の全てが神隠《かみかく》しのように忽然《こつぜん》と存在を消してしまうわけではなく、捜索願が出された後に発見されるケースが大半だ。

「それこそ、ガキの家出って事も考えりゃ……。おっと、すいません。茜《あかね》お嬢《じょう》さんの事を言ったわけじゃありませんよ」

四木は、そこで頭を下げる。

幹彌には粟楠《あわくす》茜という名の娘《むすめ》がおり、2年ほど前、小学生の身でありながら数日間の家出をした事があった。

「いや、いい、俺も最初は、うちの娘みたいな家出だろうと思ったんだが……」

「なんです。まさか、うちの組《会社》が絡んでるっていうじゃないでしょうね」

「そのまさか、だ。いや、絡んでないと考えたいんだが、少なくとも警察《サツ》の連中《れんちゅう》は俺らにも疑いの目を向けてやがる」

「なんでまた、そんな事に？」

確かに粟楠会《あわくすかい》はその性質上《じょう》、時に『失踪者』を生み出す事がある。

だが、四木《しき》の知る限り、堅気《かたぎ》をやたらめったら街から消すような真似《まね》はしていない筈《はず》だ。

雑誌記者《ざっし》が何か余程不味《よほどまず》いネタを摑《つか》んで強請《ゆす》ってきたというならともかく、15前後の学生に至っては消す理由がない。

粟楠会が麻薬《まやく》でもばらまいていて、その子供が売人《ばいにん》だったというなら可能性《せい》もあるだろうが、そもそも粟楠会では麻薬の類《たぐい》は扱っていない筈《はず》だ。

組長《くみちょう》が麻薬嫌《ぎら》いという事もあるが、幹部《かんぶ》の一人である赤林《あかばやし》が異常なまでに麻薬を嫌っている為《ため》、組の内部で迂闊《うかつ》に手を出す者はいない。

一方、最も稼《かせ》ぎやすいと言われているクスリのシノギに手を出していない分、粟楠会は地《ち》の利《り》を生かして立ち回っている面が強く、街の住民の反感《はんかん》を必要《ひつよう》以上に買う事は避けねばならない事態《じたい》だった。

よって、『粟楠会が失踪《しっそう》に関わっている』などという噂《うわさ》が流れるのはあまり良い状況とは言えない。

四木はようやく幹彌《みきや》のしかめ面《つら》に得心《とくしん》が行き、心持ちを改めて向かい合った。

幹彌はギシ、と革張《かわば》りの椅子《いす》を軋《きし》ませ、四木に逆に問いかける。

「首無《くびな》しライダー、って知ってるか？」

「……」

「知ってるよな？　お前や赤林がたまに使ってる運び屋だ」

「ええ、まあ。最近は休業中ですがね」

特に隠《かく》し立てもせずに言う四木に、幹彌が淡々《たんたん》と言葉を続ける。

「どうやら茜《あかね》が世話《せわ》になった事があるらしいな。たまに話に出てくる」

「ええ、例の家出《いえで》騒《さわ》ぎの時に、お嬢《じよう》さんを助けるのに一役買《か》ってます」

「単刀直入《たんとうちよくにゆう》に聴《き》くが、あいつは一体、どこの何者なんだ？」

幹彌は、そこで一度目を細めた。

「まさかとは思うが、本当に首から上がねぇわけじゃあねぇだろう？」

「ありませんよ」

「……なに？」

「簡単には信じられないとは思いますが、それが事実です」

淡々と言う四木に、幹彌が机をバン、と叩《たた》く。

「てめぇ！　糞《くそ》くだらねぇ冗談《じようだん》言ってる場合じゃねぇだろうが！」

並の人間なら即座《そくざ》に縮《ちぢ》み上がるであろう怒号《どごう》を身に受けながらも、四木は涼《すず》しい顔をし、それでいて相手への敬意は払ったまま答える。

「若頭《専務》。私がこういう時に糞くだらねぇ冗談を言う奴《やつ》かどうかは、貴方《あなた》が一番解《わか》って下さってると思いますよ」

「……」

その言葉に、幹彌《みきや》は黙《だま》りこんだ。

確かに、赤林《あかばやし》ならともかく、四木《しき》がこのような問いを冗談《じょうだん》で流すような真似《まね》はしないという事は幹彌もよく理解している。

だからこそ、幹彌は状況を簡単に呑《の》み込む事ができなかった。

「いや……待て、いいから、ちょっと待て。首から上がねぇって……そりゃお前、首無《くびな》しライダーそのまんまじゃねえか」

「ええ、ですから、首無しライダーは首無しライダーです。お疑いは当然ですが、今度《こんど》直接御《ご》紹介《しょうかい》しますよ。道元《どうげん》組長は既《すで》に御存知《ごぞんじ》ですがね」

「……親父《おやじ》が？」

組長《くみちょう》であり実の父でもある道元の名前まで出されては、戯《ざ》れ言《ごと》と断じて殴《なぐ》り掛かるわけにもいかない。そもそも、四木に限らず、粟楠会《あわくすかい》の中に道元の名を使ってまで嘘《うそ》や冗談を言う人間は一人もいないだろう。

幹彌は納得《なっとく》こそしなかったが、このままでは議論《ぎろん》が進まないと判断《はんだん》し、首を捻《ひね》りながらも話を切り替えた。

「……まあ、その件は後でいい。その首無しライダーが本物《ほんもの》だろうと単なる手品師《てじなし》だろうと、どっちでも構わねえ。問題はその首無しライダーがその失踪《しっそう》に一枚噛《か》んでるかもしれねえってとこだ」

「……首無しライダーが？」

「ああ、消えた連中《れんちゅう》はな……全員、首無しライダーの熱烈《ねつれつ》なファンって奴《やつ》だ」

「ファン……ですか？」

あまりにも唐突《とうとつ》な単語《たんご》に、四木は思わず眉《まゆ》を顰《ひそ》める。

「ああ、そうだ。首無しライダーに興味《きょうみ》を持って、なにかと追っかけ回してた連中さ。夢見《ゆめみ》がちなガキの間で、ちょっとしたアイドル状態になったりしてるらしくてな……。消えた新聞記《き》者《しゃ》ってのも、執拗《しつよう》に首無しライダーの情報を追っかけてた奴らしい」

「そんな連中は昔から居たでしょう。どうして今さら……」

「それを、俺《おれ》も知りたい。首無しライダーを追ってるフリーライター連中はたまにいるが、マジで姿《すがた》を消したのはいまんとこその一人だ。だが、その話がネットだのなんだので下手《へた》に広まっちまってるらしい」

「なるほど、その流れでうちと首無しライダーの関わりも噂《うわさ》に紛《まぎ》れ込んだってわけですか」

四木が納得《なっとく》したという調子で頷《うなず》くと、幹彌が大きく息を吐き出した。

大きな組織《そしき》の幹部《かんぶ》にしては弱気《よわき》とも取れる姿だったが、それだけ四木を信頼しているという事だろう。

幹彌は両手の指を組んだ状態で机に置き、四木の目を見ながら言った。

「……茜《あかね》が入学した中学の先輩《せんぱい》も、姿《すがた》を消したらしくてな」

「……」

「家出《いえで》した時に助けて貰《もら》った義理《ぎり》を茜なりに感じてるんだろう。首無《くびな》しライダーがやったって噂《うわさ》を聞いて、『首無しライダーはそんな事しない』と言って、自分で首無しライダーの事を探ってるらしい」

「そりゃ、首無しライダーが関わってるかどうかの真偽《しんぎ》は別にしろ、止めた方がいいですね」

本当に四木の知る『首無しライダー』が失踪《しっそう》事件の犯人だったとすれば、当然《とうぜん》茜の身は危険になる。茜の顔や立場を知っているとは言え、大勢《おおぜい》を失踪させるような真似《まね》をしているとすれば、正気《しょうき》の沙汰《さた》とは思えない。

逆に首無しライダーが関わっていなかったとすれば、謎《なぞ》の誘拐犯達《ゆうかいはんたち》が事件を探る茜の噂《うわさ》を聞きつけ、他の被害者《ひがいしゃ》と同じ目に遭《あ》わせるであろう事は明らかだ。

「……当然、止めたさ。だが、茜の性根《しょうね》はお前も解《わか》ってるだろう」

「ええ、確かに、表向《おもてむ》きは頷《うなず》いても、裏では何かしでかすでしょうね」

「全く、誰《だれ》に似たのか……」

「……」

——幹彌《みきや》の兄貴《あにき》も、若い頃《ころ》はそんな感じでしたよ。

粟楠道元《あわくすどうげん》の制止《せいし》を振り切って無茶《むちゃ》をしていた頃の幹彌《みきや》を思い出したが、四木は敢《あ》えてそれは口にしない。

彼は、目上《めうえ》の人間に対してそこまで皮肉屋《ひにくや》になれるほど器用《きよう》ではなかった。

そんな四木に、幹彌が改めて話を進める。

「まあいい。その首無しライダーと連絡《れんらく》が取れるってんなら話が早い。今すぐここに……いや、今《いま》本部や組の施設《しせつ》に来られるのは不味《まず》いな。どっか適当な場所に呼び出して、何か知ってる事がねえか話を聞いてこい」

「……すぐ、というわけには行かないと思いますよ？」

「？　どういう事だ」

幹彌の言葉に、四木は小さく首を振った。

「今、あの運び屋は休業中でしてね……。同居人《どうきょにん》の闇医者《やみいしゃ》先生と一緒《いっしょ》に、旅行中《ちゅう》ですよ」

「旅行だと？」

眉《まゆ》を顰《ひそ》める幹彌に、四木はやはり淡々《たんたん》とした調子で、事実だけを口にする。

「一ヶ月前もなにも、半年ほど前から、首無しライダーはこの街にいないんですよ」

二章B　吹聴者《ふいちょうしゃ》

夜　池袋《いけぶくろ》　楽影《らくえい》ジム

池袋の街の中でもトップクラスの規模《きぼ》を誇る格闘技道場《かくとうぎどうじょう》、楽影ジム。

形式上所属《けいしきじょうしょぞく》しているドイツ人のトラウゴット・ガイセンデルファーが総合《そうごう》格闘技の世界チャンピオンという事もあり、ジムの名前は世界中に知られている。

基本は総合格闘技のジムだが、各階《かくかい》ごとに空手《からて》やボクシングなど、様々《さまざま》な格闘技を教えており、剣道《けんどう》や槍術《そうじゅつ》、杖術《じょうじゅつ》等といった武器《ぶき》を主体《しゅたい》とする武術《ぶじゅつ》まで幅広く取り扱っていた。

本格的に武を志《こころざ》す者からダイエット目的の主婦まで集まり、格闘ジム独特《どくとく》の緊張感《きんちょうかん》を除けば、実に雑多《ざった》な、それこそ一つの街中《まちなか》のような空気に包まれている。


「やー、まさか久音《くおん》くんもこのジム通ってたなんてねー！　ちょっとビックリしたよ」

そんなジムの一画《いっかく》。

胴衣姿《どうぎすがた》の舞流《まいる》の言葉に、学生服《ふく》のまま訪れた久音《くおん》が頭を掻《か》いた。

「いや……中学卒業までは高田馬場《たかだのばば》支部の方に通ってたんで……。ただ、学校帰《がえ》りならこっちの方が楽だなって思って」

「そっかそっか、春休みに青《あお》っちに紹介《しょうかい》された時は、まさかこんな所で会うと思わなかったよ」

「俺《おれ》もビックリですよ」

ありがちとまではいかないが、新《しん》学期ならば不《ふ》自然ではない学生同士《どうし》の会話をする二人。

舞流はそんな空気を不意《ふい》に打ちきり、久音の背後に目を向けた。

「それでそれで？　誰《だれ》なのこの子？」

「あッ……すいません、初めまして」

ペコリと頭を下げたのは、久音と同じ学生服を来て、周囲をキョロキョロと見回していた八尋《やひろ》である。

「久音のクラスメイトの、三頭池《みずち》八尋です」

「へー、じゃあ、君も私の後輩《こうはい》なんだね！　よろしく」

「はい、よろしくお願いします」

やや緊張《きんちょう》している少年の全身を、舞流がジロジロと睨《ね》め回す。

彼女は現在はスポーツ用の眼鏡《めがね》をかけており、組み手や試合、激しい動きをする訓練《くんれん》の時などは外《はず》しているようだ。

「ふーんふんふん、髪《かみ》も染《そ》めてないしピアスとかもしてない。煙草《たばこ》やシンナーの匂《にお》いもしない。凄《すご》いね、久音くんと違って優等生《ゆうとうせい》っぽくていい感じじゃん」

「え……あの、ありがとうございます」

唐突《とうとつ》な値踏《ねぶ》みをされて、八尋は何がなにやら解《わか》らぬまま礼《れい》を言ってしまう。

一方、久音は頬《ほお》を引きつらせながら先輩《せんぱい》である少女に抗議《こうぎ》の声をあげた。

「いやあの、俺、煙草もシンナーもやってないんすけど……」

「そうだよねー、青っちと連《つる》んでるって事は、もっと危ない事やってるだろうしね」

「ちょ、勘弁《かんべん》して下さいよー」

本気《ほんき》で焦《あせ》っている久音と、カラコロと笑う舞流。

対称的《たいしょうてき》な二人を不思議《ふしぎ》そうに見つめる八尋に、舞流が再び目を向けた。

「で、君ってうちに入門希望《きぼう》なの？」

「今日《きょう》の所は、見学だけしようと思って……」

するとと、横から久音が口を挟む。

「そうそう、こいつノリ悪いんすよー。舞流先ぱーい」

肘《ひじ》でコツコツと八尋を突きながら、久音は小さな溜息《ためいき》を吐き出した。

「本当は、一緒《いっしょ》に首無《くびな》しライダー探しに行こうって話だったのに、八尋ったらマジつれねえんすよー」

♂♀

校門前《まえ》

話は、一時間遡《さかのぼ》る。

「首無《くびな》しライダー、俺達《おれたち》で見つけちゃおうぜ？」

久音《くおん》がノリノリで放った言葉に、八尋《やひろ》はあっさりと言葉を返す。

「いや、今日《きょう》は止《や》めておくよ」

「ちょッ、なんでよ⁉　用事ないんだろ？」

「うん。他の事ならいいけど……首無しライダー探しは、少なくとも明日《あした》までは止めておこうと思って。今日はちょっと、首無しライダーだけは駄目《だめ》なんだ」

穏《おだ》やかな調子でハッキリと固辞《こじ》する八尋に、久音は困惑《こんわく》の顔を見せた。

「なんで今日限定《げんてい》で、しかも首無しライダー限定でアウト⁉」

「……」

八尋は、そこで考え込む。

——なんでって言われても。

——辰神《たつがみ》さんから止められたから、明日まではって思ってたんだけど……。

その理由を話すのは、秘密《ひみつ》を暴露《ばくろ》するようで失礼《しつれい》に当たるのではないだろうか。

口止めされたわけではないものの、あまり他人《たにん》に言ってはならない類《たぐい》の話だと感じていた八尋は、そのまま久音に対して答えた。

「ごめん、その理由は秘密なんだ。友達にも、教えられない」

「え、そこまで重要な感じ⁉」

「どうだろう、重要なのかな……」

本気《ほんき》で悩み始める八尋の姿《すがた》を見て、久音は軽いカルチャーショックを受け、冷《ひ》や汗《あせ》を頬《ほお》に垂《た》らしながら言う。

「お前、変わってるなぁ……」

「え⁉　そ、そうかな」

——いけない。

——何か間違えたかな？

今一つ『友人との距離感《きょりかん》』が理解できない八尋は、困ったように愛想笑《あいそわら》いを浮かべるのだが、笑顔そのものに慣《な》れていない為《ため》、ぎこちない笑顔が夕暮れの池袋《いけぶくろ》に浮かぶ結果となった。

そんな八尋を見てどう反応していいのか解《わか》らず、溜息《ためいき》を吐きながら言う。

「まあ、じゃあ今日はいいや。俺《おれ》も今日から道場《どうじょう》に顔《かお》出すかな」

「道場《どうじょう》？」

「ああ、楽影《らくえい》ジムってんだけどさ。今まで高田馬場《たかだのばば》の道場に通ってたんだけど、高校がここだろ？　今日《きょう》から池袋《いけぶくろ》の本館に通う事にしたんだよ」

「道場って……格闘技《かくとうぎ》の？　どんな事やってるの？」

先刻《せんこく》までとは打って変わって、妙《みょう》なテンションで食いついてくる八尋《やひろ》に首を傾《かし》げつつも、久《く》音《おん》はフレンドリーな笑《え》みを浮かべて答えた。

「おお、色々とやってるよ？　俺《おれ》は護身術《ごしんじゅつ》とか習ってるんだけどさ。総合格闘技《そうごうかくとうぎ》から空手《からて》にボクシング、剣道棒術《けんどうぼうじゅつ》なんでもありだぜ？」

久音の言葉に八尋は僅《わず》かに目を見開き、少し考えた後に口を開く。

「もっと、詳しい話って聞けるかな？」

♂♀

そんなやり取りを経て、現在、こうして八尋は楽影ジムに見学に来る事となった。

「ったくもう、せっかく池袋民《みん》になったたっつーのに、首無《くびな》しライダー見物に消極的《しょうきょくてき》なんて考えられないっすよねー。蛇《へび》の生殺《なまごろ》しっすよ」

未《いま》だに首無しライダーに未練《みれん》タラタラという感じの久音に対し、舞流《まいる》が問う。

「あれ？　君達《きみたち》って、首無しライダーに興味《きょうみ》あるの？」

「ええ、まあ。俺も見たいなーって思ってるのは確かなんすけどね？　八尋なんか筋金《すじがね》入りですよ？　わざわざ首無しライダー見に秋田《あきた》から東京《とうきょう》まで来たんすよ？　パねぇっすよね？」

「へー！　秋田からわざわざ!?　そりゃ根性《こんじょう》入ってるね！　カッコイイじゃん」

目を輝かせながら言う舞流に、八尋が目を泳がせながら言った。

「あ、いや……首無しライダーだけが目的……ってわけじゃないんですけど……」

「？　なになに？　じゃあ何が目的なの？　ひょっとして私の体とか!?　でも駄目《だめ》だよ、私の体は隅《すみ》から隅までクル姉《ねえ》と幽平《ゆうへい》さんのものなんだから！　予約《よやく》済《ず》み！　予約済みだよ！」

「すいません、言ってる意味が良く……」

困り果てる八尋に、久音が耳《みみ》打ちする。

「俺もこの人に会ったばっかだけど、ウザいと思ったら基本的に全部スルーして大丈夫《だいじょうぶ》だぜ？　そもそも、この人の姉さんならともかく、この人は秋田から来るような価値《かち》のある体じゃや……」

「きーこーえーてーるーぞー」

素早く背後に回り込んだ舞流が、両拳《こぶし》で久音のこめかみを両側からグリグリと挟み押した。

「あががが、ちょッ、これウメボシって小学生の小技《こわざ》でしょ!?　しっぺとかデコピンと同じレベルの！　実際やる人初めて見たっすよあがががががが」

「そんな事を言う悪い後輩《こうはい》くんには、首無しライダーの情報は教えてあげないよ！」

首無《くびな》しライダーの情報。

何気なく会話に差し込まれたその言葉に、八尋《やひろ》と久音《くおん》が同時に反応した。

「えッ？」

「ちょッ、舞流《まいる》先輩《せんぱい》、何か知ってるんすか？」

戸惑《とまど》う二人を前に、舞流はニヒヒと笑いながら口を開く。

「そりゃ知ってるよ。私も何回か会った事あるし、クル姉《ねえ》なんか、首無しライダーにボディーガードして貰《もら》った事があるんだよ？」

「ボディーガード？」

都市伝説《でんせつ》のイメージとはかけ離れた単語《たんご》に、八尋は思わず眉《まゆ》を顰《ひそ》めた。

「そ。うちの兄貴《あにき》がさ、首無しライダーと友達だったみたい」

「首無しライダーと、友達？」

ますます混乱する八尋の横で、久音がジト目で舞流を見ながら言う。

「まーた、そんな冗談《じょうだん》で後輩《こうはい》をからかおうとして」

「あ、さてはその目、信じてないね？　冗談でもないし、私に虚言癖《きょげんへき》があるわけでもないよ？　クル姉や、なんなら青《あお》っちに聞いてもいいけど」

「黒沼《くろぬま》先輩に？」

そこで、久音もようやく眉を顰めた。

八尋は、舞流と久音の顔を交互に見ながら首を傾《かし》げる。

「黒沼先輩？」

「ん……ああ、俺《おれ》が中坊《ちゅうぼう》の頃《ころ》から世話《せわ》になってる先輩だよ」

言葉を濁《にご》す久音の後ろから、舞流があっさりとした調子で言葉を足した。

「怖《こわ》い怖い不良軍団《ふりょうぐんだん》のボスだから、気を付けなきゃ駄目《だめ》だよ？」

「ちょっと！　空気読《よ》んで下さいよ！」

「ちゃんと読んだよ？　読んだ上で無視《むし》しただけだから安心して！」

「なんて厄介《やっかい》な人だ！」

数秒《すうびょう》頭を抱えた後、久音は『黒沼先輩』についてフォローする。

「ああ、不良軍団っていうのは舞流先輩の勘違《かんちが》い勘違い。仲間内《なかまうち》に少し物騒《ぶっそう》な人もいるってだけだっての。ちょっとけんかっ早いっていうか何て言うか……」

あまりフォローになってない事に気付いたのか、久音は慌《あわ》てて話題を変えた。

「まあ、そんな事よりあれっすよ！　舞流先輩の兄貴が首無しライダーと友達だってんなら話早すぎでしょ！　さあ、今すぐ携帯《けいたい》でお兄《にい》さんに電話し下さいよ！　テルテルテル！　テルテルコールコールノーモアベットっすよ！」

手の平でリズミカルにジムの柱を叩《たた》きながら言う久音に、舞流が笑いながら答える。

「アハハハ、それは無理《むり》」

「なんでっすか！　ズルいですよ！　言うだけ言ってお預けなんて！」

食い下がる久音《くおん》に、舞流《まいる》は笑顔を欠片《かけら》も崩《くず》さぬまま——

「だってさ、兄貴《あにき》、一年以上前から行方不明なんだもん」

と、爆弾《ばくだん》発言を口にした。

「……」

「……」

学生服《ふく》の二人が、互いに視線を送りながら黙《だま》り込む。

何と言葉を続けるべきか迷っている彼らを前に、舞流はあっけらかんとした調子で続けた。

「ああ、気にしなくていいっていいって。今までも何度か消えた事あるし、今回はたまたまそれが長いだけだしね」

その言葉に、八尋《やひろ》が少しだけホッとする。

「あ、そ、そうなんですか」

だが、その安堵《あんど》を舞流の言葉が掻《か》き消した。

「それに、最悪東京湾《さいあくとうきょうわん》の底とかに居ても、それはそれで兄貴らしい最期《さいご》だしさ。兄貴が望んでた事だと思えば、別に、ねえ？」

「……」

再び沈黙《ちんもく》する八尋に変わって、今度は久音が口を動かした。

「いや……それ、無茶苦茶心配《むちゃくちゃ》じゃないっすか……。首無《くびな》しライダーの知り合いが消えたなんて、まるで最近の……」

そこまで言いかけた所で、三人の傍《そば》から別の声が響《ひび》く。

「違いますよ」

「？」

「首無しライダーは、そんな事しません」

三人が声の方に振り返ると、そこには八尋より頭一つ分《ぶん》背丈が低い少女が、白い木綿胴衣《もめんどうい》と白袴《しろばかま》という姿《すがた》で立っていた。

中学にあがりたてといった所だろうか、まだ顔に幾《いく》ばくかの幼さが残っている。

手には赤樫《あかがし》から削《けず》り出された八角棒《はっかくぼう》が握られており、彼女がこのジムで杖術《じょうじゅつ》を習っているという事が見て取れる。

その少女の顔を見て、舞流が声をあげる。

「あ。茜《あかね》ちゃんじゃん。ヤッホー」

「折原先輩《おりはらせんぱい》、お疲れ様です」

礼儀《れいぎ》正しく頭を下げる茜に、久音が尋《たず》ねた。

「えーと、君は？」

「……楽影流《らくえいりゅう》 杖道部《じょうどうぶ》、女子部門下生《ぶもんかせい》の粟楠《あわくす》茜です」

舞流《まいる》の時と同じように、二人の少年に対しても礼儀《れいぎ》正しく頭を下げる。

「あ、俺《おれ》は、その、見学に来ただけですけど、三頭池八尋《みずちやひろ》です」

「琴南久音《ことなみくおん》、よろしくね、お嬢《じょう》ちゃん」

「はい、宜《よろ》しくお願いします」

二人の自己紹介《しょうかい》を真面目《まじめ》に聞き入れ、茜《あかね》は初対面《しょたいめん》の彼らに対して改めて言った。

「首無《くびな》しライダーは、みんなを誘拐《ゆうかい》したりなんてしません」

一体どこから会話を聞いていたのかは解《わか》らない。

ただ、どうやら久音が口にしかけた『舞流の兄が消えた事と、首無しライダーとの関係』について何か思う所があるようだ。

しかし、そんな裏の事情など知らない八尋は話に参加する事ができず、彼女の言葉を聞き入る事しかできない。

「みんな……あの首無しライダーさんを誤解《ごかい》してるんです。あの人は、ネットで噂《うわさ》になってるような怖《こわ》いオバケなんかじゃないのに……」

悲しげに言う茜の言葉を聞いて、八尋の心が僅《わず》かに疼《うず》いた。

——あれ？

——なんだろう……この感覚……。

胸に湧《わ》き上がる奇妙《きみょう》なざわつきの正体《しょうたい》に、少年はすぐに気付く。

故郷《こきょう》にいる時、自分を化《ば》け物《もの》と呼んで怖《おそ》れた人々。

それと同じ視線を首無しライダーに対して送る人々がいる。

つまりは、自分もそういう視線で首無しライダーを見たいと思っているのではないか？

自分が普通である事を証明《しょうめい》する為《ため》に、首無しライダーを見に来たなど、それはとても傲慢《ごうまん》な事ではないだろうか？

そんな事を考えてしまった八尋は、途端《とたん》に憂鬱《ゆううつ》な気分になった。

——……俺は、首無しライダーに対して凄《すご》く失礼《しつれい》な事をしてるんじゃないか……？

——だとしたら、やっぱり俺は、人でなしの化け物なんじゃな……。


連れてきたクラスメイトが鬱々《うつうつ》とした気分になっているのも気付かず、久音が茜に問う。

「茜ちゃんだっけ？　君ってもしかして、首無しライダーと知り合いだったりするの？」

「……」

久音の問いに、茜は答えない。

寧《むし》ろ、彼の事を警戒《けいかい》の目で見ている。

少年の特殊《とくしゅ》な髪色《かみいろ》やピアスを見れば当然の反応であると言えたが、それ以外にも様々《さまざま》な想《おも》いが胸中《きょうちゅう》に渦巻《うずま》いているようだ。

「ちょッ、そんな怖がらないでよー。ほら、これはあれだよ。ジャングルのカエルとかでたまに超派手《ちょうはで》にキラキラしてる奴《やつ》いるじゃん。ヤドクガエルとかさ。あれと一緒《いっしょ》一緒」

「猛毒《もうどく》があるって事じゃん」

「矢毒《やどく》ガエルって言っちゃってるし……」

背後からの舞流《まいる》と八尋《やひろ》の呟《つぶや》きは無視《むし》しつつ、久音《くおん》はあくまでフレンドリーに茜《あかね》に接する。

「それにさ、別に俺達《おれたち》は、首無《くびな》しライダーが悪者《わるもの》だって思ってるわけじゃないんだ。だからこそ、どんな人か良く知りたいだけでさ」

「ま、その辺にしときなよ、久音くん」

「え？」

背後から窘《たしな》められ、思わず振り返った久音に舞流が続けた。

「茜ちゃん、放送委員会に入ってるんだけどね？　その委員会の先輩《せんぱい》がさ、この前行方不明《ゆくえふめい》になっちゃったんだから」

「……」

「二連続で空気読《よ》めない事《こと》言っちゃったねー。私の方は別に気にしてないけど」

冷《ひ》や汗《あせ》を掻《か》く久音に、茜が言う。

「……私の先輩も、確かに首無しライダーさんの大ファンでした。……でも、首無しライダーさんに迷惑《めいわく》が掛かるといけないと思って、先輩には内緒《ないしょ》にしてたんです。私と首無しライダーさんが知り合いだってこと」

茜は言葉を続けながら、沈痛《ちんつう》な表情で俯《うつむ》いた。

「だけど……先輩は急にいなくなっちゃって……。皆、想像《そうぞう》で好き勝手《かつて》な事ばっかり……」

彼女の脳裏《のうり》に浮かぶのは、一週間ほど前、春休みに会った先輩の記憶《きおく》。

──『ねえねえ、粟楠《あわくす》さん。私、とうとう首無しライダーに会えるかもしれないの！』

小学校の時に生徒会長だった彼女の『首無しライダーマニア』っぷりは、学校の中でも有名だった。

茜としては紹介《しょうかい》したい気持ちもあったのだが、その為《ため》には自分の『家族』を通す必要があり、それだけは絶対に避けたかったのである。

──『もしも首無しライダーと本当に知り合いになれたら、粟楠さんにも、いつか紹介してあげるね！』

その僅《わず》か数日後《ご》。

色々あって落ち込んでいた時期の茜を気に懸《か》けてくれた上級生──この春からは同じ中学の先輩となる筈《はず》だった彼女が姿を消したと聞かされた。

家出人《いえでにん》として捜索願《そうさくねがい》が出されたそうだが、未《いま》だに見つかったという話は聞かない。

皆にも似たような事を触れ回っていたようで、学校ではあっという間に一つの噂《うわさ》が広まった。

──『首無しライダーが、先輩を影の中に消し去った』

と、荒唐無稽《こうとうむけい》としか思えない噂《うわさ》が。

だが、池袋《いけぶくろ》に住む者達は知っている。

首無《くびな》しライダーは、確かに実在していたという事を。

ここ半年ぐらい見かけていないが、一度でも見た者は、殆《ほとん》ど同じ感想を抱く。

──あれは恐らく、この世のものではない。

エンジン音のしないバイク、湧《わ》き上がる影。そんなものを直接見《み》せつけられた後では、とても首無しライダーの都市伝説《でんせつ》を『単なる与太話《よたばなし》』などとは片付けられなかった。

だからこそ、その噂は尾ひれが付き、あっという間に学校内《ない》に広がっていく。

かつて『首無しライダー』に救われた事のある茜《あかね》にとっては、一方的にその『都市伝説』が黒く塗《ぬ》り潰《つぶ》されていく様《さま》が我慢《がまん》ならなかった。

しかしながら、『私は首無しライダーに助けられた事がある』と言った所で信用はされないだろうし、信用されるほどに詳しく顚末《てんまつ》を話すとなると、茜の『家庭の事情』まで口にする必要がある。

それは、誰《だれ》も幸せにならない方法だという事は理解していた。

だからこそ、学校では我慢してその噂を聞かぬふりをしており、代わりに、自分の手で失踪《しっそう》事件の謎《なぞ》を探ろうと心に決めていたのである。

そう決意していたところでたまたま久音《くおん》達の会話を聞いた為《ため》、思わず首無しライダーを擁護《ようご》する言葉を口にしてしまったのだが――

　結果として、この久音という異様《いよう》な出《い》で立《た》ちの少年に必要《ひつよう》以上の興味《きょうみ》を抱かせてしまった。

「じゃあ、どうするの？」

「……私も、先輩《せんぱい》を探そうと思ってます」

「探すって……自分で？　マジで？」

「警察だけには任せておけませんから……」

　暗い表情だが、しっかりと
「そこまでするって事は、先輩の事がよっぽど好きなの？　それとも、首無しライダーが犯人じゃないっていう自信がよっぽどある感じ？」

「それは……」

　乱雑《らんざつ》な日本語《にほんご》で尋《たず》ねる久音に、茜は僅《わず》かに目を逸《そ》らした。

「ねえねえ、悪いようにはしないから、教えてよ、首無しライダーの事！　誤解《ごかい》があるんだったらさ、やっぱり解いておかないと。誤解だってわかれば、俺達も首無しライダーがいい人だってみんなに広めるし。ね？」

「……」

　疑わしげな目で見てくる茜に対し、緑髪《りょくはつ》の少年は精一杯《せいいっぱい》の笑顔を浮かべるが――

「こら、年下《としした》の女の子を虐《いじ》めちゃ駄目《だめ》でしょ」

「あががががが」

再び背後から舞流《まいる》に拳《こぶし》でこめかみをグリグリと挟まれ、久音《くおん》は思わず悲鳴《ひめい》を上げてしまう。

「誰《だれ》にだって話したくない事はあるんだから、空気読《よ》みなよ。エアリードエアリード」

「あいててて……。いや、だって……気になるじゃないっすか」

そんな彼の横から、鬱《うつ》状態から回復した八尋《やひろ》が茜《あかね》に向かって歩み出た。

「解《わか》った、君が話したくないなら、もう首無《くびな》しライダーの事は聞かないよ」

「……すみません」

ペコリと頭を下げる茜は、八尋について久音よりは信用できそうだと思ったのか、首無しライダーについて少しだけ口にする。

「話した事がある人なら解りますけど……あの人は、絶対に悪い人じゃありません」

「うん、信じるよ」

「え？」

「人間じゃないからって、悪いとは限らないもんね」

どこか自虐《じぎゃく》的な笑《え》みを浮かべながら言う八尋の事を不思議《ふしぎ》に思いつつも、茜は少し嬉《うれ》しそうに笑いながら礼《れい》を言った。

「ありがとうございます！　私も、そう思います！　みんな、誤解《ごかい》してる人が多いんです……。

首無しライダーさんも……」

そして、一瞬《いっしゅん》だけ彼女の方が自虐的な表情を浮かべ、言葉を続ける。

「……静雄《しずお》さんの事とかも……」

「え？」

「あ、いえ、すいません。最後のは独《ひと》り言《ごと》です！」

茜の言葉をうけ、それまで黙《だま》っていた舞流が思い出したように手を叩《たた》いた。

「ああ、そうそう！　首無しライダーって、静雄さんとも仲いいよね！」

ドクリ、と、八尋の心臓《しんぞう》が高鳴《たかな》る。

――シズオ？

――シズオって……まさか……。

疑問が八尋の口から言葉として出るよりも先に、久音がその名前に反応した。

「げえッ！　マジっすか⁉　静雄って、あの静雄でしょ⁉　平和島《へいわじま》静雄！」

「そうそう、なんだ、知ってるんだ」

「そりゃもう！　黒沼先輩《くろぬませんぱい》とかから武勇伝《ぶゆうでん》は聞いてますし、俺《おれ》も一回だけあの人が自販機《じはんき》ぶん投げてんの見た事あるんすよ！　え⁉　首無しライダーって、平和島静雄とも知り合いなんすか⁉　マジで？」

「青《あお》っちって、そういうこと君に全然話《はな》さないんだね」

意外《いがい》そうに言う舞流《まいる》。

そんな二人の会話をよそに、鬱々《うつうつ》していた先刻《せんこく》までとは打って変わって、八尋《やひろ》の心が荒々しく昂《たか》ぶり始めていた。

──平和島《へいわじま》、静雄《しずお》。

──自販機《じはんき》を投げた。

──間違いない！

──あの人だ！

インターネットで池袋《いけぶくろ》の都市伝説《でんせつ》などについて調べた際、何度も何度も出て来た名前。

自動喧嘩《けんか》人形などという渾名《あだな》で呼ばれ、首無《くびな》しライダーと共に『池袋の生ける都市伝説』と呼ばれている存在だ。

──まさか、こんな所で名前が出てくるなんて！

──でも、どうして？

──都市伝説同士《どうし》だから？

困惑《こんわく》する八尋だったが、慌《あわ》てて小さく首を振る。

──いや、今はそんな事を考えてる場合じゃない。

大きく呼吸を整え、八尋は改めて茜《あかね》に言った。

「じゃあ、俺《おれ》も君の先輩《せんぱい》を探すの手伝うよ」

「……えッ？」

突拍子《とつぴょうし》もない申《もう》し出《で》に、茜は目を丸くする。

茜だけではなく、横で聞いていた久音《くおん》もキョトンとしており、舞流は『面白い事になってきた』というような顔でニヤニヤと笑いながら話の続きを見守っていた。

「俺は、首無しライダーがどんな人なのか知りたいと思ってる。だけど、君が言うように悪い人じゃないっていうなら、それを証明《しょうめい》したいとも思う。その為《ため》には、首無しライダーの大ファンだっていうその先輩の話を聞いてみたいんだ」

——ああ、言ってしまった。

——大丈夫《だいじょうぶ》、嘘《うそ》はついてない。

——……ついてないよな？

八尋としては、首無しライダーのみならず、『平和島静雄』という存在に近づけるまたとないチャンスだった。

行方不明《ゆくえふめい》になった子が心配だったり、茜という少女の想《おも》いを手伝おうと考えたのも事実であり、言わば一石二鳥《いっせきにちょう》だったのだが——その、もう一羽《わ》の鳥の事を隠《かく》す事は不誠実《ふせいじつ》なのではないだろうか？

——いや、関係ない。

——それに、本当に知りたい。

──仮に首無《くびな》しライダーが本当に『化け物《ばけもの》』なんだとしたら……。

──『化け物』のまま、人に嫌《きら》われていないなんて事があるのか？

──どっちにしても、一番《いちばん》心配なのは、その家出《いえで》した先輩《せんぱい》って奴《やつ》だ。

──何が一番重要《じゅうよう》かなんて、決まってるじゃないか。

妙《みょう》な罪悪感《ざいあくかん》を覚えつつも、八尋《やひろ》は結局その意志《いし》を裏に隠《かく》したまま、本気《ほんき》で人捜《ひとさが》しを手伝おうと心に決めた。

きっとそれが人付き合いで正しい事なのだろうと思いつつも、今一つ自信が持てぬまま。

「……」

八尋の申《もう》し出《で》を聞き、舞流《まいる》をチラリとみる茜《あかね》。

初《しょ》対面の八尋がどのような人物かどうか解《わか》らず、意見を求めている目だ。

そんな彼女に、舞流は親指《おやゆび》をビシリと上に立てながら言った。

「いいんじゃない？　私とクル姉《ねえ》も手伝うよ！」

彼女はそのまま、親指を立てた手を久音《くおん》に向ける。

「久音くんは、青《あお》っち達に頼んでおいてね！」

これに驚いたのは、久音本人《ほんにん》だった。

「えッ、ちょッ、俺《おれ》も手伝う流れっすか？　黒沼先輩《くろぬませんぱい》も巻き込んで？」

「無理強《むりじ》いはしないよ？　でもさ、でもね？　君ってこういう時に、『そういうのは素人《しろうと》は下手《へた》な事をしない方がいい。警察に任せておこう』とか言ったり、『なんで俺がそんな面倒臭《めんどくさ》い事を』って言うタイプじゃないでしょ？」

舞流《まいる》の目と言葉が、久音《くおん》に対して暗に告げている。

──「お前は、こういうトラブルに首を突っ込むのが大好きな筈《はず》だ」

と、久音の本質《ほんしつ》の一部を見透《みす》かす一言《ひとこと》を。

久音は頬《ほお》を引きつらせて笑いながら、道場《どうじょう》と学校、二つの場所において先輩である少女に首を振った。

「まだ何回かしか会ってないのに、よくそう自信満々《まんまん》に言えますよね」

「兄貴《あにき》がそういうの得意でさー。血筋《ちすじ》かな」

カラカラと笑い、舞流は茜《あかね》を安心させるように言う。

「ま、大丈夫《だいじょうぶ》だよ。きっと反抗期《はんこうき》の家出か何かで、その先輩は無事《ぶじ》に見つかるよ」

「でも……」

困ったように皆の顔を見る茜に、舞流は飄々《ひょうひょう》とまくし立てた。

「ああ、私やこの子達に『迷惑《めいわく》をかけるかも……』なんて気にするのはあとだよ、あと！　私もこの子達もみんな、自分の意志《いし》とか欲望に従って、何か危ない目に遭《あ》うかもしれないの承知《しょうち》で『やる』って言ってるんだから、たまには茜ちゃんも、年長者《ねんちょうしゃ》の行為に甘えちゃいなよ！」

朗々《ろうろう》と語る舞流に、久音が思わず口を挟《はさ》む。

「いや、俺は別に自分の意志《いし》じゃ……」

舞流はニイ、と口元《くちもと》を歪《ゆが》め、久音に答えた。

「じゃあ、止《や》めとく？　青《あお》っちには私から改めて頼むけど」

「……いや、やるっすよ。乗りかかった船っすからね」

溜息《ためいき》をつきながら笑う久音を見て、茜は更《さら》に暫《しばら》く考え込んだ後――

胸中《きょうちゅう》でなんらかの折り合いがついたのか、目に強い意志の光を宿し、頭を下げる。

「ありがとうございます……。宜《よろ》しくお願いします！」

そして、八角棒《はっかくぼう》をギュウ、と強く握り締《し》めながら言った。

「でも……何か危ない感じになったりしたら、すぐに止めて下さい。皆さんが危険な目に遭《あ》うのだけは避《さ》けたいですから……」

久音は、そんな茜をからかうように肩を竦《すく》める。

「いやいや、いやいやいやいやいや、この中で一番危《あぶ》ない目に遭いそうなのって、どう考えても一番年下《としした》の茜ちゃんっしょ？」

「久音くん、茜ちゃんをあまり侮《あなど》らない方がいいよー？　まだ中学にあがったばっかりの女子とはいえ、楽影流《らくえい》杖道《じょうどう》の期待の星なんだからね？」

「マジすか!?　そっかー、じゃあ、この中で一番気《き》を付けなきゃいけねえのは、八尋《やひろ》だな」

軽い調子で、久音《くおん》がパンパンと八尋《やひろ》の背を叩《たた》く。

「う、うん。気を付けるよ」

複雑な笑《え》みを浮かべながら頷《うなず》いた八尋は、何かを誤魔化《ごまか》すように茜《あかね》に尋《たず》ねた。

「ええと……それでさ、その、いなくなった人の名前はなんて言うの？」

茜は一度深呼《しん》吸をした後、ハッキリとその名を告げる。

「辰神《たつがみ》……辰神愛《あい》先輩です」

「え？」

辰神。

聞き覚えのある名字《みようじ》だった。

特徴的《とくちようてき》なその名字は、もしや池袋《いけぶくろ》という地域では多い姓《せい》なのかと考えようとしたが、それよりは次のように考えるのが自然と思われる。

自分の知る辰神と、何らかの関係があると。

そう考えたのは八尋だけではなかったようで、久音が僅《わず》かに首を捻《ひね》って言った。

「辰神って……うちのクラスにも居なかったっけ？　なんか関係あんのかな？」

久音がそう尋《たず》ねてくるが、八尋には何も答えられなかった。

「うん……そうかもしれないけど、まだ何とも言えないよね」

首無《くびな》しライダーの大ファンだったという少女の名も辰神だという。

無関係《む》だと思う方がどうかしている。

クラスメイトの『忠告《ちゅうこく》』が何度も何度も八尋の胸に蘇《よみがえ》る。

――「首無しライダーには、深入りしないで」

『何か』に巻き込まれた。

人一倍臆病《ひといちばいおくびょう》な八尋は、確信《かくしん》にも近い予感《よかん》を覚えた。

だが、既《すで》に止まる事などできない。

胸の奥から渦巻《うずま》く不安と懸命《けんめい》に戦いながら、臆病な少年は、そのまま前に進む事にした。

♂♀

その後、久音達《たち》の稽古《けいこ》の様子《ようす》を見学し終え、八尋はパンフレットを受け取って帰って行った。

久音や茜も稽古を終え次第《しだい》帰ってしまい、後には稽古後《ご》に休憩所《きゅうけいじょ》で姉が迎えに来るのを待っている舞流《まいる》一人が残される。

「クル姉《ねえ》にも、早く教えてあげないとねー。明日《あした》からは私達、秘密結社熱血冷血池袋探偵結社《ひみつけっしゃねつけつれいけついけぶくろたんていけっしゃ》による人捜《ひとさが》しの始まりだよって。あ、結社って二回言《い》っちゃった。まあいっか」

休憩所の椅子《いす》で足をぶらつかせ、適当に浮かんだ組織名《そしきめい》を口にしてテンションをあげる舞流《まいる》に、廊下から声を掛ける者がいた。

「おい、舞流」

「あ、美影師範代《みかげしはんだい》！　お疲れ様っ！」

写楽《しやらく》美影。

楽影《らくえい》ジムの社長の娘《むすめ》であり、スポーティな外観《がいかん》が特徴的《とくちようてき》な女性《じよせい》師範代だ。

舞流が入門した頃《ころ》から面識《めんしき》があり、師弟《してい》というよりも年の離れた友人のような感覚で会話をする間柄《あいだがら》である。

そんな彼女が、舞流に対して問いかけた。

「なあ、さっき舞流と一緒《いつしよ》に居た男子高校生、ありゃ知り合いかい？」

「ああ、久音《くおん》くんと三頭池《みずち》くん？　うん、来良《らいら》の後輩《こうはい》。今日《きよう》入学式だったんだって」

「ふーん……何かやってたの？」

「え？　久音くんなら、昔から楽影道場《どうじよう》の子だよ？　高田馬場《たかだのばば》支部に通ってたんだって。なになに、美影さん！　もしかして凄《すご》く見込みがあるとか!?　喜佐《きさ》先輩みたいに、第二のトラウゴットを目指《めざ》せちゃうレベル!?」

直接《ちよくせつ》久音の稽古を見ていなかった舞流は、ワクワクしながら美影に尋《たず》ね返した。

だが、美影は淡々《たんたん》と首を振る。

「久音っていうのは、あの緑《みどり》の頭した方だろ？　ありゃ、まあ、うちの道場《どうじょう》の型だからな。見りゃ前からうちの門下生《もんかせい》ってのは解《わか》るんだけどね……」

そこで言葉を止め、美影は少し考えてから舞流に言った。

「あの、見学してた方の子、三頭池君《くん》って言うの？」

「うん。そうだけど……あの子がどうかしたの？　あ、もしかして美影さん、好みのタイプ？」

「バカだね、そんなんじゃないよ。……いやあの子、なんか昔やってたの？」

「うーん？　どうだろ。聞いてないし、久音くんも何か知ってるなら言うと思うけど……」

まさか見学してただけの八尋《やしろ》の方に興味を示すとは思わず、舞流は尚《なお》も問いかける。

「でも、あの子がどうしたの？　美影さん、大人《おとな》しそうな子だったけど」

「あいつのさ、手ぇ見たか？」

「手？　んー、そういえば、見なかったなあ。三頭池くんの手が、どうかしたの？」

美影はそこから更《さら》に考えた後、小さく溜息《ためいき》を吐き、舞流に釘《くぎ》を刺した。

「これから言う事はさ、絶対に、あの子に直接言《い》ったり、他の連中《れんちゅう》に広めたりするなよ。どうせ九瑠璃《くるり》ちゃんには言うだろうから、あの子だけは許す。でも他は駄目《だめ》だ。心の中にしまっておけるか？」

いつになく真剣な調子の師範代に、舞流は足をぶらつかせるのを止め、笑顔のまま頷《うなず》いた。

「解《わか》った、約束する」

「ありがとう。変な噂《うわさ》が立つと、あの子に悪いからさ」

美影《みかげ》は休憩所《きゆうけいじよ》にある自動販売機《はんばいき》に硬貨《こうか》を入れ、アミノ酸配合《はいごう》のスポーツドリンクのボタンを押しながら言葉を紡《つむ》ぐ。

「凄《すご》く真面目《まじめ》な感じで正座《せいざ》して見学してたからさ、あの子が膝《ひざ》の上に置いた手が、たまたま目に入ったんだけど……」

自販機からドリンクを取り出しつつ、美影はその時の光景《こうけい》を頭に思い浮かべた。

「あの子の手、凄く傷だらけだったんだよね」

「傷？」

確かに巻き藁《わら》などを突《つ》いて鍛錬《たんれん》すれば、手に傷が付く事は珍《めずら》しくない。

しかし、それだけでここまで神妙《しんみよう》になる理由が舞流《まいる》には解らなかった。

「でも、傷だけなら、猫《ねこ》とか飼《か》ってて噛《か》まれたりしてるだけかもしれないよ？」

「……ああ、そうだな」

美影は、舞流の言葉に頷《うなず》いてみせる。

「確かに、あれは歯の痕《あと》だ。ただし、猫のじゃない」

「へ？」

「私も経験があるから解るんだけどさ……」

そう言いながらドリンクの缶《かん》を握る美影の手を見て、舞流が気付く。

彼女の手にも、稽古《けいこ》で日常的についている傷とは別の、いくつかの古傷《ふるきず》がある事に。

「ありゃ、人間の歯の痕《あと》さ」

「……誰《だれ》かに、噛《か》まれたって事？」

首を傾《かし》げる舞流に、美影は首を振った。

「人の歯を殴《なぐ》って叩《たた》き折るとさ、たまに折れた歯が刺さるんだよ、拳《こぶし》にね」

「……」

「折れた後も、何度も何度も顔面を殴ってると、余計《よけい》に多く刺さる。感染症《かんせんしょう》になる可能性《せい》もあるから、あんまりお勧めはしないね。そこまでできる状態なら、もっと楽に仕留《しと》める方法はいくらでもあるしさ」

そんな事を言った後、美影は八尋《やひろ》の『手』をハッキリと思い出し、複雑な思いを巡《めぐ》らせ、無表情のまま舞流の問いに対する『答え』を口にする。

「その三頭池《みずち》君って子の手の古傷……あれはまず間違い無く、人の折れた歯が刺さった痕《あと》だ」

「……本当に？」

「あの傷の数……一体何人の歯を殴り折ったんだろうね」

美影はドリンクを一口飲んだ後、薄い笑《え》みを浮かべながら独《ひと》り言《ごと》のように呟《つぶや》いた。

「少しばかり、震えたよ」

♂♀

高田馬場《たかだのばば》　久音《くおん》の自宅マンション

「ただいま」

そう言って自宅に戻った琴南《ことなみ》久音が最初に向かったのは、奥にある姉の部屋だった。

入口の側には通販業者《つうはんぎょうしゃ》のダンボール箱が天井《てんじょう》近くまで積み上がっており、未開封《みかいふう》の物と開封済みの物で分けられ、別々の塔《とう》を造り上げている。

いくつかの塔の合間《あいま》に見える床の上には、空《から》になった茶碗《ちゃわん》や皿などが積み重なり、その上に丁寧《ていねい》に揃《そろ》えられた箸《はし》が置かれていた。

「お、姉《ねえ》ちゃん、今日《きょう》は残さず飯《めし》食ったな」

食器を持ち上げながらそう呟くが、久音は部屋の中にいる誰《だれ》かに言ったわけではない。

「まったく、シャワーは小まめに浴びる癖《くせ》に、食堂で飯《めし》食《く》うのは嫌《いや》がるんだもんなー。基準が良く解《わか》んねえよ」

ただの独り言として愚痴《ぐち》混じりの台詞《せりふ》を口にし、食器を流し台へと運んでいく。

マンション内は、姉の部屋の前を除いてはきちんと整頓《せいとん》されており、流し回りにもカビ一つ生《は》えていない。

久音は丁寧《ていねい》に食器を洗い終えると、居間《いま》のソファーに座り、テーブル上にあるノートパソコンを開いた。

そして、テレビを点《つ》けながら、空《あ》いた手でスマートフォンの画面に親指《おやゆび》を滑らせる。

「さてと……」

テレビに映る夜のニュース番組を見ながら、久音はスマートフォンを耳に当てた。

「お疲れー」

『――』

「解《わか》ってるよ、情報があるから、わざわざ電話したんだ」

通話先《さき》の誰《だれ》かに対し、久音はニヤニヤと笑いながら今日《きょう》の『成果』を口にする。

「ああ、入学式は荒れたりしなかったよ。俺《おれ》が一番イカれた外見《がいけん》してたからね。来良《らいら》学園は、優等生《ゆうとうせい》君が多そうだよ」

『――――』

「今日は他にも色々あってさ。面白い手駒《てごま》も見つかったよ」

昼間に皆の前で浮かべていた愛想笑《あいそわら》いとは違い、久音はどこか冷たい印象《いんしょう》のある笑《え》みを浮かべていた。

「信じられるかい？　秋田《あきた》から、わざわざ首無《くびな》しライダー目当てで転校してきたんだってさ！」

『――――』

「いや、本当なんだって！　な？　まさに俺《おれ》達が求めてた逸材《いつざい》だろ？　なんかお人好《ひとよ》しっぽいからさ、いくらでも丸め込めそうだ。本気《ほんき》で友達になろうかと思ったぐらいだぜ」

『――』

「冗談《じょうだん》だよ。俺が友達なんてガラに見える？」

通話《つうわ》相手の言葉に、久音は思わず肩を竦《すく》める。

「三頭池八尋《みずちやひろ》っていうんだけどさ……あいつ、色々と持ってるよ」

久音《くおん》は今日見つけたばかりの『手駒』の顔を思い出し、蛇《へび》のように目を細めながら言った。

「あいつと一緒《いっしょ》に行動したおかげで、他にも収穫《しゅうかく》が色々とあったからさ」

♂♀

楽影《らくえい》ジム

八尋について一通りの話を終えた美影《みかげ》は、思い出したようにもう一人の学生について問いかける。

「そういえば、久音って子の方はどうなの？　稽古《けいこ》は真面目《まじめ》にやってたけど。兄貴《あにき》や親父《おやじ》があの髪《かみ》の色見《いろ》たら、『黒く染《そ》めろ！』とか言い出すかもよ。みんな、意外《いがい》と昔気質《むかしかたぎ》だしね」

「うーん。私は面白いから緑《みどり》に染めたままの方がいいんだけどなー」

美影の問いに、舞流《まいる》は暫《しば》し考え、あっさりと答えた。

「ま、悪人《あくにん》かなー。自分で動くより、人を利用するタイプ。この道場《どうじょう》に真面目に通ってるのも、単純に最低限《さいていげん》の護《ご》身術《しんじゅつ》を覚えたいだけなんじゃないかな。イザという時の為《ため》にね。……ああ、イザって言って思い出したけど、イザ兄《にい》と同じタイプだと思う」

「……あんたの兄貴《あにき》と一緒《いっしょ》じゃ、悪人《あくにん》っていうよりただのゲスだね」

懐《なつ》かしい顔を思い出しながら、美影は小さく息を吐く。

「あの三頭池《みずち》って子とはどういう関係なんだい？」

「友達だって言ってたけど、単に利用してるだけだと思うよ？　三頭池君の方はお人好《ひとよ》しっぽかったからね。何に利用するつもりかまでは知らないけど」

「……よくもまあ、舞流もそんな奴《やつ》とフレンドリーに喋《しゃべ》れるね」

その後、舞流は今日《きょう》彼らと話した事について美影に伝えた。

すると、茜《あかね》との件《くだり》を聞き、美影が笑う。

「へえ、それじゃ、その茜ちゃんの先輩《せんぱい》を探す事にしたんだ」

「うん、無事《ぶじ》に見つかるといいけど……」

「でも、その高校生達《たち》も、茜《あかね》ちゃんに変なちょっかいとか出さないといいけどね。あの子の家の事とかは当然知《し》らないんだろうけど」

缶《かん》をゴミ箱に入れながら言う美影《みかげ》に、舞流《まいる》が反論《はんろん》した。

「三頭池《みずち》くんはそうだろうけど、久音《くおん》くんはどうかなあ」

「？」

「青《あお》っちと連《つる》んでるぐらいだから、粟楠会《あわくすかい》の事、絶対知《し》ってると思うなー」

♂♀

久音のマンション

「そう、粟楠茜だよ。あの、粟楠会の組長《くみちょう》、粟楠道元《どうげん》の孫《まご》の！」

『——』

「笑えるだろ？　その粟楠会の御嬢様《おじょうさま》が、首無《くびな》しライダーと何か繋《つな》がりがあるってんだからさ」

茜の前では決して見せなかった表情で、久音は通話《つうわ》相手に対して楽しそうに語り続ける。

「ま、八尋《やひろ》が人捜《ひとさが》しを手伝うって言いだした時は何事かと思ったけど、結果として面白い事になりそうだよ。その、行方不明《ゆくえふめい》になったっていう粟楠茜の先輩《せんぱい》の名前……『辰神愛《たつがみあい》』って言うんだけどさ……」

『――、――――――？』

「ああ、無《む》関係とは思えないよな。こないだ消えた雑誌《ざっし》記者が、『辰神彩《あや》』って言ったろ？」

『――――』

通話先《つうわさき》からの言葉に、久音が頷《うなず》く。

「ああ、そっちは調べておいて貰《もら》えると助かるかな。流石《さすが》に出版社へのコネは俺《おれ》には無いし。あと、これは偶然《ぐうぜん》かもしれないけどね……うちのクラスにも、一人『辰神』って名字《みょうじ》の奴《やつ》が居るんだよ。少し無愛想《ぶあいそ》な感じだけど、中々可愛《かわい》い子でさ」

『――――――』

「違うよ、そんなんじゃないって。まあ、関係があったら大当たりってところかな。まあ、慎《しん》重《ちょう》に行きたい所だけど、下手《へた》したら数百万から一千万単位《たんい》の金が動く大仕事だからね……競争相手がいるとしたら、黒沼《くろぬま》先輩かな。あの人は、俺のやってる事も全部知《し》ってるし」

そこまで言った所で、久音は逆に通話相手《あいて》へと問いかけた。

「で、そっちはどう？　何か面白い動きはあった？」

『――――』

「ん……ちょっと待って！　刑務所《けいむしょ》から誰《だれ》か出て来たって？　大物《おおもの》？　ダラーズ？　それとも黄巾賊《こうきんぞく》？　えッ？　ブルースクウェア⁉」

獲物《えもの》を見つけた蛇《へび》のように、目をぎらぎらと輝かせて食いつく久音《くおん》。

しかし、その目の輝きは、次の瞬間《しゅんかん》には曇《くも》る事となった。

『──』

「元ブルースクウェアで今は黄巾賊の……法螺田《ほらだ》……？」

『──』

「そうか……ついに出て来ちゃったか……あの法螺田がねえ……。法螺田、法螺田……」

無表情になった顔を少し傾《かし》げ、久音は淡々《たんたん》とした調子で単純な疑問を口にする。

「……ごめん、誰《だれ》それ」

間章　ネットの噂《うわさ》②

池袋《いけぶくろ》情報サイト『いけニュ〜！　バージョンI．KEBU．KUR．O』

人気《にんき》記事『【都市伝説《でんせつ》再開のお知らせ】池袋で連続失踪《しっそう》の犯人は、首無《くびな》しライダーらしいぞ！』

・【池袋連続失踪事件、共通点は首無しライダー？】——（日刊《にっかん》バブー電子版《ばん》より転載《てんさい》）

池袋の闇《やみ》が、いよいよ正体《しょうたい》を現したのだろうか。

そう思わせる事件が、ここ最近の東京《とうきょう》を騒《さわ》がせている。

昨年の12月頃《ごろ》から、池袋近郊《きんこう》で若者の失踪が相次いでいるのだが、その失踪事件の陰にあの【首無しライダー】が関わっているという噂が囁《ささや》かれ始めた

失踪者や家出《いえで》人達《にんたち》の中で、とある共通点を持つグループがあるというのである。

その共通点とはズバリ、『首無しライダーの正体を追っていた』という事だ。

20年前から幾度《いくど》となく人々の前に姿《すがた》を現している謎《なぞ》の存在、『首無しライダー』。

エンジン音の無い、首無《くびな》し馬に変身するバイク。
体から影を湧《わ》き上がらせ、それを自在《じざい》に操《あやつ》る乗り手。
まさに『都市伝説《でんせつ》』としか言いようのない存在だが、少なくとも半年前までは、街の住民達《たち》の携帯《けいたい》電話ですら簡単に撮影《さつえい》できるような存在だった。
目撃例《もくげきれい》が激減《げきげん》してから、『首無しライダー』の熱狂的《ねっきょうてき》な『信者《しんじゃ》』とでも言える若者達。彼らは皆一様《みないちよう》に、『首無しライダーに会えるかもしれない』と周囲に漏《も》らした直後にその姿《すがた》を消しているというのだ
更《さら》に先月、首無しライダーを取材し続けていた某《ぼう》情報誌《し》の記者が、『有力な情報提供者《ていきょうしゃ》に会いに行く』と言い残したまま失踪《しっそう》してしまったのである。

（中略《ちゅうりゃく》）

また、首無しライダーには地元《じもと》の暴力団《ぼうりょくだん》との関係などが噂《うわさ》されており、警察も失踪事件の重要参考人《さんこうにん》としてその行方《ゆくえ》を追っているようだ。

（以下省略《しょうりゃく》）

――（記事の続きは元記事《もと》へGO）

『いけニュ～！』管理人コメント

「消えたと思ったら人を消してたなりよ
行方不明《ゆくえふめい》になった人達が無事《ぶじ》に見つかる事をお祈りします」
管理人《にん》『リラ・テイルトゥース・在野《ざいや》』

♂♀

『ツイッティア』より、一般人《いっぱんじん》の声を抜粋《ばっすい》

・首無しライダーってさ、一回懸賞金《けんしょうきん》かかった事あったよね。あの時、確かすぐに賞金が無しになった。今《いま》思うと怪《あや》しいよね。裏で政府と繋《つな》がってると思う。

→確か、賞金かけた人が警察から怒られたからでは。

→常識《じょうしき》的に考えて、警察から怒られるのは当たり前なわけだから、織り込み済みで賞金懸《しょうきんか》けたんじゃないの？　それがすぐに取り下げられたから怪《あや》しいって話じゃん。
　→マックス・サンドシェルトの行き当たりばったり感を舐《な》めるな。
・うちの大学の子も一人行方不明《ゆくえふめい》になったんだけど、まじヤバいよ。子供の頃《ころ》からずっと首無《くびな》しライダーが好き好き言ってたんだって。マジヤバくね。ちょっと引いた。逆に居なくなってくれて良かったかも。キモいし。
→行方不明になってる人に対して引いただのキモいだの不謹慎《ふきんしん》じゃないですか。
→はぁ？　そんなのうちの勝手《かって》だし。一々《いちいち》レスしてくんなよウザい。誰《だれ》だよ。
　→ウザいのはお前じゃん。レスするのも勝手だし。
　→嫌《いや》なら呟《つぶや》き見るなよ死ねバーカ。死ね死ね死ね死ね。
　　→お前、過去の発言で飲酒《いんしゅ》運転してるって書いてるな。カンニングもしてるみたいだけど通報《つうほう》しとくわ、来良《らいら》大学の一年生さん。
　　　→すいません今までの全部冗談《じょうだん》です。来良大学の生徒ってのもジョークです。学校に連絡《れんらく》すると学校が迷惑《めいわく》だから絶対に止《や》めて下さい。
※（その後、発言者は来良大学を退学処分《たいがくしょぶん》。別件《べっけん》で起訴《きそ》され、裁判中《ちゅう》）

・雑誌記者《ざつし》が行方不明になる前、『有力な情報提供者《ていきようしや》に会いに行く』って話してたらしいけど、首無しライダーの情報提供できる奴《やつ》って誰？
→なんか白衣《はくい》着た人を背中に乗っけてるの見たことあるよ。
→あれ、闇医者《やみいしや》って噂《うわさ》あるよね。
→平和島静雄《へいわじましずお》じゃね？　よく一緒《いつしよ》にいるもの。
→静雄が激おこ→遠くにぶん投げられる→そのまま行方不明ってオチじゃね？
→マジかよ。
→なんか首無しライダーとたまに話してる情報屋《や》とか居なかったっけ。
→情報屋（笑）
→いや、マジで居たんだって！　そういうのが。
→あの黒いファー付きコートの奴《やつ》だろ？　最近見《み》かけないよな。

三章

三章A　破壊者《はかいしゃ》

池袋《いけぶくろ》には、魔人《まじん》がいる。


街に長く暮らしていれば、誰《だれ》もが聞いた事のある噂《うわさ》だ。

駅周辺《しゅうへん》の繁華街《はんかがい》に毎日のように出向く者は、それが噂ではない事を知っている。

引きちぎられたガードレール。

引っこ抜かれた街灯《がいとう》。

折られた道路標識《ひょうしき》。

拉《ひしゃ》げた自動販売機《はんばいき》。

そうした物騒《ぶっそう》なパーツを見かけた事があるならば、それはほぼ間違い無く、一人の人間の手によるものだ。

平和島静雄《へいわじましずお》。

常日頃《つねひごろ》からバーテンダー服を身に纏《まと》い、派手《はで》に染《そ》めた金髪《きんぱつ》とサングラスが特徴的《とくちょうてき》な男だ。テレクラや出会い系《けい》サイト、キャバクラなどのツケを踏み倒している者達から代金《だいきん》を回収《かいしゅう》する事で生計《せいけい》を立てており、サンシャイン通りや60階通り等《とう》を中心として、池袋《いけぶくろ》の繁華街《はんかがい》で日常的に見かける存在である。

それだけ踏まえれば、少々物騒《ぶっそう》な仕事をしている男の一人、というだけなのだが、彼は間違い無く、池袋の中で『最強《さいきょう》』という子供っぽい二文字《ふたもじ》を冠《かん》するに相応《ふさわ》しい男だった。

平和島静雄《へいわじましずお》を巡る伝説《でんせつ》の数々《かずかず》は、上げていけば枚挙《まいきょ》にいとまがない。

曰《いわ》く、自動販売機《はんばいき》を片手で振り回す。

曰く、ガードレールを片手で引きちぎる。

曰く、道路標識《ひょうしき》で車を切断《せつだん》する。

曰く、ダンプカーに轢《ひ》かれても平気《へいき》で立ち上がった。

曰く、小学生の時点で冷蔵庫《れいぞうこ》を持ち上げた。

曰く、虎《とら》を飼い慣《な》らした。

曰く、バニラシェイクが好き。

曰く、ロシア人の殺し屋を舎弟《しゃてい》にしていた。

曰く、ナイフが一ミリしか刺さらなかった。

曰く、銃弾《じゅうだん》が筋肉《きんにく》を通らなかった。
曰く、クリームあんみつが好き。
曰く、ビルを一棟破壊《いっとうはかい》した。
曰く、街灯《がいとう》を振り回して暴走族《ぼうそうぞく》を一掃《いっそう》した。
曰く、鉄パイプで殴《なぐ》ると鉄パイプの方がひしゃげる。
曰く、ネブラ社製のボールペンだけが彼の筋肉《きんにく》を貫《つらぬ》ける。
曰く、車をサッカーボールのように蹴《け》り転がした。
曰く、石炭《せきたん》を握って圧力でダイヤモンドに変える。
曰く、プリンが好き。
曰く、弟は大人気《だいにんき》俳優《はいゆう》である羽島幽平《はねじまゆうへい》らしい。
曰く、人をビルより高く放り投げる。
曰く、シロップたっぷりのパンケーキが好き。
曰く、とにかく甘い物が好き。

どこまでが本当でどこからがでっち上げなのか解《わか》らない噂《うわさ》ばかりだが、いずれも、静雄を知る者達からすれば『本当でもおかしくない』と思わせる伝説ばかりだった。
一説には、池袋を一時期恐怖《きょうふ》のどん底へと叩《たた》き込んだ『連続切り裂き魔《さま》』の犯行《はんこう》がピタリと止まったのは、平和島静雄《へいわじましずお》に手を出した切り裂き魔《ま》が返り討《う》ちにあったからとも言われている。実際に自販機《じはんき》を投げたり、街灯《がいとう》を振り回したりする姿《すがた》が撮影《さつえい》されてネットにアップされたりもするのだが、実際にその姿を見た者以外《いがい》は『よくできたトリック映像《えいぞう》だな』という評価《ひょうか》で終わる事が殆《ほとん》どだった。

しかし、そんな伝説《でんせつ》の中でも、最近特《とく》に気に掛けられ、人々の噂《うわさ》に上るものがあった。

人気俳優《にんきはいゆう》である羽島幽平《はねじまゆうへい》の兄というのも事実なのだが、なまじそれがある分、俄《にわか》には信じられない動画《どうが》が『テレビ局の作ったやらせ映像』と思われがちなのかもしれない。

曰《いわ》く、平和島静雄は首無《くびな》しライダーの友人である。

これは、都市伝説となっている者同士《どうし》を無根拠《むこんきょ》に繋《つな》げようとしての噂ではない。

実際に、平和島静雄が首無しライダーと行動を共にしている姿は何度も目撃《もくげき》されている。

伝説となった者同士の繋《つな》がりは、言うなれば有名《ゆうめい》サッカー選手と有名野球《やきゅう》選手が街中《まちなか》で談《だん》笑《しょう》しているのを見かけたようなものであり、双方《そうほう》の伝説を知る者からすれば、強い衝撃《しょうげき》を伴って脳内《のうない》に刻み込まれる光景《こうけい》だった。

そして、首無しライダーが街から消えた今——

もう一人の『生ける都市伝説』にも、とある転機《てんき》が訪れようとしていた。

♂♀

夕刻　池袋《いけぶくろ》　某《ぼう》パーラー

池袋の百貨店内《ひゃつかてんない》にある、とあるフルーツパーラー。

店内には女性客《きやく》が多いが、仕事帰りと思《おぼ》しき男性客《だんせい》なども見受《みう》けられる。

そんな中、サラリーマンではなさそうな男二人の姿があった。

マンゴーがバラの花状に整えられた、見た目も麗《うるわ》しい豪華《ごうか》なパフェを食しているバーテン服の男と、旬野菜《しゅんやさい》が添えられたパニーニを食べているドレッドヘアの男だ。

「で、資格《しかく》を取りたいんだって？」

ドレッドヘアの男――田中《たなか》トムは、パニーニを食べる手を止めてそう聞き返した。

すると、バーテン服の男――平和島静雄が、改めて相談事《ごと》を口にする。

「ええ、トムさん、色々と資格持ってましたよね。何でしたっけ」

「あー……俺《おれ》が持ってるのは……。まず宅建《たつけん》の資格だろ、それと、どっちも二級《きゆう》までだけど、漢字検定《かんじけんてい》と英検《えいけん》だろ。あとは、測量士補《そくりようしほ》とか、簿記《ぼき》とか、秘書技能《ひしよぎのう》検定三級とか……」

その後もいくつかの資格名《しかくめい》を上げていくトムに、静雄《しずお》が尊敬《そんけい》の眼差《まなざ》しを向けた。

「おお……すげえっすね」

彼らは、今日《きょう》の仕事のノルマを終えた直後であり、外では日も既《すで》に暮れている。

普段《ふだん》ならそのまま会社に報告に戻って解散となるのだが、静雄が『相談がある』と言うので、小腹《こばら》が空《す》いたのに合わせて行きつけの店の一つに入ったのだ。

「いや、まあ、色々と資格持ってた方が食いっぱぐれが無いと思ってよ……。この仕事じゃなきゃ、もっと色々と取ってたかもな」

「何か、俺《おれ》にも取れそうな手頃《てごろ》な資格って無いですかね」

「どうしたんだよ、急に。転職《てんしょく》でも考えてるのか？」

今まで静雄が資格がどうこうなど言いだした事が無かった為《ため》、トムが戸惑《とまど》いながら尋《たず》ねる。

「あ、いえ、この仕事には満足してますし、転職なんて考えてないんすけど……。なんていうんですかね。いい加減《かげん》、俺も何か自分に自信が持てる力が欲しいっていうか……」

「……」

平和島静雄は、人間の域《いき》を超えた怪力《かいりき》とタフネスを持ち合わせていた。

それは、上司《じょうし》であるトムも良く知っている。

だが、『お前はその怪力があれば十分だろう』とは言わなかった。

静雄本人《ほんにん》は、そうした暴力的《ぼうりょくてき》な力を決して好んではいないと知っているからだ。

「ま、そうだな。俺らの会社もまともたぁ言いがたいからな、いつ会社そのものが無くなってもおかしくないしなぁ」

トムはそこで、いくつかの案を考える。

「うーん……。資格は色々あるけどよ、中には何年かそれ関係の仕事についてるのが条件ってのも多いからな……。ちょっと待てよ」

スマートフォンを取り出し、ネットで情報を漁《あさ》るトム。

「民間《みんかん》資格で良けりゃ結構《けっこう》あるな、ジュエリーコーディネーターとか、森林インストラクターなんてのもあるし……ほー、世界遺産検定《いさんけんてい》なんてのもあるのか」

「世界遺産はあんま詳しくないっすね……」

「まあ、本来は『何がしたいか』ってとっから資格取《と》るのが普通だしな。それこそ、今の仕事以外でなんかやりたい事とかないのかよ」

ストレートに尋《たず》ねるトムに、静雄は暫《しば》し考え込んでから答えた。

「それがハッキリしてれば、もうちょっと絞《しぼ》れるんすけどね。やっぱり、今一つ俺が将来何《なに》したいかが見えないんすよ」

「今はともかくとして、ガキの頃《ころ》はどうだったんだ？」

「え？」

「そういう時は初心《しょしん》に返るのも大事《だいじ》だぜ。子供の頃にゃ将来の夢とか、一つや二つあったろ」

トムにそう言われ、静雄《しずお》は再び考え込む。

――夢、俺《おれ》の夢か。

――そういや、なんかあったな。

更《さら》に数秒の思案《しあん》を経て、静雄は、自分が小学校の卒業文集《ぶんしゅう》に何と書いたかを思い出した。

「ああ……そうだ、そうっすよ」

「思い出したか？」

静雄は、過去を懐《なつ》かしみながら大きく頷《うなず》き、答える。

「俺、探偵になりたいと思ってたみたいです」

「……そう来たか」

探偵《たんてい》。

静雄に向いているのかいないのか、なんとも微妙《びみょう》な所が来た。

トムはそう考える。

小学校の時点での夢という事は、おそらく浮気《うわき》調査などを行う現実の探偵ではなく、映画や漫画《まんが》に出てくる探偵に憧《あこが》れての事だろう。

だが、そうしたフィクションに出てくるような探偵にも、いくつか種類がある。

殺人《さつじん》事件などで推理《すいり》を働かせ、真犯人《しんはんにん》を追い詰める頭脳派《ずのうは》タイプ。

地道《じみち》に証拠《しょうこ》集《あつ》めなどに立ち回り、時には襲《おそ》い来る敵の脅威《きょうい》と戦う武闘派《ぶとうは》タイプ。

両方兼《か》ね揃《そな》えたシャーロックホームズのようなタイプもあり、一概《いちがい》に探偵といっても一つのイメージには絞《しぼ》りきれない。

映画に出てくるような武闘派探偵ならば、これほど静雄に向いている職は無いかもしれないが、悲しい事にここは映画の世界ではない。静雄が地道な素行《そこう》調査やペット探しをこなす姿《すがた》が、トムには中々《なかなか》思い浮かばなかった。

——頭脳派の相方《あいかた》がいりゃ、面白い事になるんだろうが……。

——頭脳派ねぇ。

知り合いの中で、頭の良さそうな人間を片《かた》っ端《ぱし》から思い浮かべるトム。

その最中《さいちゅう》、ある情報屋《や》の顔が思い浮かび、慌《あわ》ててその想像《そうぞう》を打ち消した。

——……いやいや、あいつだけは無しだ。

——静雄と二人仲良く並んでる所がまず思い浮かばねぇ。

——映画の凸凹《でこぼこ》コンビとかいうレベルじゃなくて、顔合わせると殺し合うレベルだしな……。

——そういやアイツ、本当に街から消えちまったな。

トムがそんな事を考えていると、静雄は一人で納得《なっとく》したように頷《うなず》き始める。

「ああ……そうか、そうっすよトムさん。俺がこの仕事長《なが》く続けてるのって、なんとなくですけど、子供の頃《ころ》に憧れてた探偵と似たようなイメージがあるからかもしれないっすね」

「えッ？」

そう言われて、トムは今までの静雄《しずお》とこなしてきた仕事を思い返した。

借金《しやっきん》を抱えて消えた人間を探し出し、時には開き直って襲《おそ》いかかって来る債務者《さいむしや》とのバトルになる。

そんな事の繰り返しだった事を思い返し、トムは苦笑《にがわら》いしながら首を振った。

「自分の仕事が如何《いか》に物騒《ぶっそう》かってのは、あんま再確認《さいかくにん》したくねえなあ……」

♂♀

30分後　池袋《いけぶくろ》西口公園
二人で会社への報告に戻る最中《さいちゅう》、トムが改めて口を開く。

「しかし、お前があんな話をするなんて、本当に珍《めずら》しいな」

すると、静雄はいつになく神妙《しんみよう》な顔をして言った。

「なんつーか……俺《おれ》もそろそろ変わらないといけねえなって思ったんすよね……」

「へえ？」

「今日《きょう》、来良《らいら》の入学式だったみたいで、新しい学生連中《れんちゅう》が目を輝かせてるのを見ちまって」

「ああ、そういや、今日は制服姿《せいふくすがた》の連中多《おお》かったな」

そう言って、トムはざっと公園内《ない》を見回してみる。

流石《さすが》にこの時間では制服姿の者は殆《ほと》どいないが、公園内には若者達《たち》が多く集まっていた。

真面目《まじめ》そうな人間からいかにも不良《ふりょう》といった雰囲気《ふんいき》の者まで様々《さまざま》だが、数年前には割と見かけたカラーギャングの姿が、今ではもう全くと言って良いほど見られない。

静雄もそんな街の風景《ふうけい》を眺《なが》めながら、感慨深《かんがいぶか》げに言った。

「ノミ蟲《むし》が居なくなって、ようやく街が静かになったって印象《いんしょう》なんすよね。そんな状態が一年以上続いたんだって実感したら、なんか、俺もそろそろ、シャキっとしなきゃなって……」

「そうだなあ。あの双子《ふたご》ちゃんとかは相変わらず騒がしいけどな」

「ま、あいつらはあいつらで、そんな迷惑《めいわく》は掛けてこないっすからね」

そんな事を話していると、丁度噂《ちょうどうわさ》の双子の片割《かたわ》れの姿が見えた。

「おやおや、噂をすりゃ影ってのはホントだな。妹の方はまだ楽影《らくえい》ジムか？」

トムがそう言いながら、件《くだん》の少女、折原九瑠璃《おりはらくるり》に目を向けたのだが――

些《いささ》か、様子《ようす》がおかしかった。

彼女の目の前には柄《がら》の悪そうな不良少年達が群がっており、ナンパというよりは、強引《ごういん》に誘おうとしているような印象である。

「おいおい、ああいうバカは最近減《へ》ったと思ってたんだけどな」

呆《あき》れたように言うトムをよそに、静雄《しずお》は既《すで》にそちらに向かって歩き出していた。

「あ、おい、静雄……」

「だからよぉ、俺《おれ》ら全員の相手しろって言ってんじゃねえんだよ」

「ムショから出て来たばっかの先輩《せんぱい》をお祝いするじゃん？　パーティーには綺麗《きれい》な女が必要なわけじゃん？」

「お前、先輩の超好《ちょうこの》みのタイプらしいんだわ」

そんな事を言いながら九瑠璃《くるり》を取り囲むチンピラ達。

九瑠璃は小さく溜息《ためいき》を吐きつつ、小声《こごえ》ではあるが、ハッキリと意志表示《いしひょうじ》をした。

「……嫌《お断りします》……」

「おおっと、拒否権《きよひけん》はねえんだって」

「無理矢理《むりやり》車に乗せられて痛え思いするのとさ、一緒《いっしょ》に楽しくするのとさ、どっちがお得か解《わか》るっしょ？　なあ？」

彼らの後ろでは、こちらに背を向ける形で石の円柱《えんちゅう》に腰掛けている男がいる。

恐らくは、彼が刑務所《けいむしょ》から出て来たばかりの『先輩』という男だろう。

すると、そんな彼らに対し、別の男の声がかかる。

「おい、止《や》めとけよ」

「あぁ？　なんだぁ、てめえ。どこのバーテンだ？」

突然現れ《あらわ》たバーテン服の男に、チンピラ達は露骨《ろこつ》な嫌悪《けんお》の視線を向けた。

「こいつは俺の知り合いでよ。攫《さら》うのは勘弁《かんべん》してくんねぇか」

凄《すご》みをきかせたつもりのガンツケをスルーされたチンピラ達は、苛立《いらだ》ちを募《つの》らせて短絡的《たんらくてき》な行動に出る。

「ヒーロー気取りなんざ流行《はや》らねえんだよ、アホが」

チンピラの一人が、手にしていたペットボトルをバーテン服の男に浴びせかけた。

それだけで、周囲にいた者達は、そのチンピラ達が地元《じもと》の人間ではないと理解する。

もしも池袋《いけぶくろ》に住む人間ならば、それが如何《いか》に危険な行為であるかを知っているからだ。

ペットボトルの口から振りかけられたオレンジジュースが、仲裁《ちゅうさい》に入った男の髪《かみ》と服を濡《ぬ》らしていく。

その光景《こうけい》を見て、九瑠璃はそっと後ずさり、遠目《とおめ》に見ていたドレッドヘアの男が、露骨《ろこつ》に顔を顰《しか》めた後、憐《あわ》れみを込めた目で合掌《がっしょう》した。

自分達《たち》が何をしてしまったのかも気付かぬまま、チンピラの一人が背後《はいご》にいる『刑務所帰りの先輩』に向かって声をかけた。

「法螺田《ほらだ》さん！　法螺田さん！　この巫山戯《ふざけ》た野郎《やろう》、処刑《しょけい》しちまっていいですよね！」

すると、法螺田と呼ばれた男がゆっくりと立ち上がりながら口を開く。

「やれやれ、しょうがねえ連中《れんちゅう》だぜ、ムショにトンボ返りはごめんだからな。死なねぇ程度《ていど》に、両手両足《りょうてりょうあし》の骨を折るぐらいで……」

そこで、法螺田《ほらだ》は現場《げんば》の方に顔を向け、そこに立っている男の顔を見た。

同時に、彼の中の時間が完全に停止する。

「――――――――」

「？　法螺田さん？」

口をパクパクとさせ、顔面蒼白《そうはく》となっている法螺田。

そんな彼に、チンピラ達が声をかけた次の瞬間《しゅんかん》――

ガシリ、と、バーテン服の男の手によって、チンピラの一人の顔面が摑《つか》まれる。

「なあ……知ってるか？」

「⁉　⁉　⁉」

突然の痛みと拘束《こうそく》感に、チンピラは手足をばたつかせる。

まるで、巨大《きょだい》な万力《まんりき》で顔面を挟まれているかのような気分だった。

何が起きたのか理解できずにいるチンピラ達に、バーテン服の男は言った。

「人ってよ……簡単に死ぬんだぜ……。ひょっとしたら、ペットボトルの水をぶっかけられたショックで、心臓麻痺《しんぞうまひ》起こして死ぬ事だってあるよなぁ？」

「がッ……ごがッ……」

「て、てめえ！　何してんだコラァッ！」

他のチンピラ達が男に摑《つか》みかかるが、地面に根を生《は》やした大木《たいぼく》のように、全く動かない。

「つまり、今、手前《てめえ》は俺《おれ》を殺そうとしたって事だよなぁ……？」

「こ、こいつ、何《なに》言って……」

焦《あせ》るチンピラ達は、揃《そろ》って法螺田《ほらだ》の方に目を向けるが――

彼は足をガクガクと震《ふる》わせ、カタカタと震えながら逃げようとしていた。

「へ……へ……平和島《へいわじま》……」

そんな彼の背に、バーテン服の男、平和島静雄《しずお》の怒号《どごう》が響《ひび》く。

「つまり……殺されても文句《もんく》は言えねぇよなあぁぁあああぁぁ！」

顔面を摑まれていたチンピラがそのまま勢い良く投げ飛ばされ、法螺田の背中に激突《げきとつ》した。


「ごひぃッ⁉」

その後の凄惨《せいさん》な光景《こうけい》を見て、トムは溜息《ためいき》を吐きながら独《ひと》り言《ごと》を呟《つぶや》く。

「ま、昔のアイツなら、九瑠璃《くるり》が絡まれてる時点でぶん殴《なぐ》ってただろうし……」

次々とたたき伏せられていくチンピラ達と、這《は》いずって逃げようとする刑務所《けいむしょ》帰りの男とやらの姿《すがた》を見ながら、トムは肩を竦《すく》めながら言葉を繋《つな》げた。

「少しは、成長したって事かね」

三章B　挑戦者《ちょうせんしゃ》

翌日　来良《らいら》学園

　来良学園の新年度2日目、まだ授業は行われない。

　この日は主に施設《しせつ》案内と、委員会と部活紹介《ぶかつしょうかい》するオリエンテーション。そして、クラスで各《かく》委員の募集等《ぼしゅうとう》が行われた。

　数年前《まえ》までは初日《しょにち》に委員分《わ》けを済ませていたらしいのだが、『委員会にも説明会を』という学校側の方針転換《てんかん》により、現在は2日目に回されている。

　八尋《やひろ》は図書《としょ》委員に立候補《りっこうほ》し、他に候補者もおらず、何事もなく認定《にんてい》された。

　放課後《ご》に行われた初の委員会活動《かつどう》では、自己紹介を経た後、委員長と副《ふく》委員長の選定《せんてい》、今後の活動《かつどう》内容、図書室管理《かんり》のローテーションまでが決められる。

　全てが終わる頃《ころ》にはすっかり日も暮れかけており、八尋が教室に戻った時には、赤く染《そ》まった空が窓の外に広がっていた。

そして、八尋《やひろ》は教室の隅《すみ》に、見覚えのある女子の姿《すがた》を見つける。

「もしかして……待っててくれたの？」

「まあ、やる事もないからね」

素《そ》っ気《け》ない調子で答えた辰神姫香《たつがみひめか》は、淡々《たんたん》と八尋に問いかけた。

「どうだった、図書《としょ》委員会？」

「ああ、緊張《きんちょう》したけど、みんないい人達だったよ。図書委員長も優しそうな感じだったし」

「図書委員長って、あの眼鏡《めがね》かけたカッコイイ感じの先輩《せんぱい》？」

「そうそう」

そんな世間話《せけんばなし》を経た後、姫香は調子を変えぬまま、やはり淡々と問いかける。

「んーと、それでさ」

「なに？」

「どうする？　昨日《きのう》の話の続き、する？」

「だから待っててくれたんじゃないの？」

何の皮肉《ひにく》の色もなく、あっさりとそう答えて首を傾《かし》げる八尋に、姫香は小さな溜息《ためいき》を吐いた。

「やっぱり、君、少し変わってるよ」

「そうかな……気を付けるよ。ありがとう」

「御礼《おれい》を言うところじゃないと思うけど……」

無表情《むひょうじょう》のまま首を傾《かし》げるが、それ以上は追及《ついきゅう》せず、姫香はあっさりと話を元の筋《すじ》に戻す。

「それじゃ、そっちから聞かせて貰《もら》っていいかな。どうして、首無《くびな》しライダーを追ってるのか」

「……うん。そうだね」

僅《わず》かな間を置いて、八尋は静かに語り始めた。

「俺《おれ》はさ、確かめたいんだ。自分が普通の人間なのか、それとも……化《ば》け物《もの》なのか」

「えっ？」

「俺さ、地元《じもと》じゃ化け物って呼ばれて、小学校の頃《ころ》から友達も居なかったんだ。俺に関わろうとしてくるのは、俺をいきなり殴《なぐ》って来るような怖《こわ》い人達ばっかりでさ」

「……」

僅《わず》かな戸惑《とまど》いは見せるが、姫香は話の腰を折る事はせず、黙《だま》って八尋の言葉を聞き続ける。

「でも、そんな時、村の温泉に来た人が言ってくれたんだ。『君は化け物なんかじゃない、普通の人間だ』って……。池袋《いけぶくろ》って街には、俺の知らない世界があるって教えてくれたんだ」

「……それで、池袋に？」

「ああ、俺はもっと広い世界を見てみたいと思ったんだ。自分は本当にどうしようもない人間なんだと思ってたけど、東京《とうきょう》にはもっと、俺なんかが霞《かす》むぐらいに周りから浮いた人達がいて
それでも、その人達は普通に暮らしてる……」

少し困ったように笑い、八尋は素直な気持ちを口にした。

「それをこの目で見る事ができたなら、俺《おれ》も自分自身《じしん》と違った形で向き合えるんじゃないかって思った。だから、俺は池袋《いけぶくろ》に来たんだ」

「……」

彼の話を聞き、姫香《ひめか》は暫《しば》し考え込む。

奇妙《きみょう》な話だった。

しかし、嘘《うそ》をついているようには見えない。

八尋《やひろ》は自分が『化《ば》け物《もの》と言われていた』と言っているが、別段《べつだん》そう呼ばれる外見《がいけん》には見えないし、性格も、少し変わっているとは思ったものの、取り立てて周りから浮き立つ要素があるとは思えなかった。

恐らく、何か壮絶《そうぜつ》なイジメを受けていたのだろう。

人間扱《あつか》いされず、皆から石を投げつけられるような陰惨《いんさん》なイジメを。

姫香がそう考えたのは、八尋の手《て》の甲《こう》の傷に気が付いたからだ。

両手の甲にある奇妙《きみょう》な傷痕《きずあと》は、そのイジメによって付けられたものなのだろう。

そう考えた姫香は、とりあえず八尋の言葉を信じる事にする。

『何故《なぜ》平和島《へいわじま》静雄《しずお》にまで会いたいのか』という疑問は残ったが、少なくとも彼女は、目の前にいる少年が、自分の事情を話すに足る人物だと納得《なっとく》した。

「……うん。君が、首無《くびな》しライダーに会いたいって理由は解《わか》った」

「そっか、良かった。信じて貰《もら》えないかと思った」

ホッとしたように言う八尋に、姫香は僅《わず》かに沈黙《ちんもく》した後、自分の言葉を口にする。

「それでもやっぱり……首無しライダーは追わない方がいいし、憧《あこが》れない方がいい」

「今日《きょう》は、その理由……教えてもらってもいいのかな？」

あくまでも無理《むり》強《じ》いするつもりは無いのか、自分の秘密《ひみつ》を話した後だというのに、八尋はそう問いかけた。

すると、姫香は言う。

「約束だからね。それに、黙《だま》ってても、そのうちに噂《うわさ》が広まると思うし……」

諦観《ていかん》混じりの溜息《ためいき》を吐き出した後、彼女は続けた。

「私には、姉《ねえ》さんと妹がいるの。私は三姉妹《さんしまい》の真《ま》ん中《なか》」

「うん」

「姉さんは雑誌《ざつし》記者だったんだけど、ずっと仕事で首無しライダーを追いかけてたの。妹は妹で、子供の頃《ころ》からずっと首無しライダー、首無しライダーってキャアキャア言ってた。元々《もともと》空想《くうそう》好きな子だったから、漫画《まんが》から抜け出してきたみたいなあのライダーに憧《あこが》れてたんだと思う」

そこまで言った後、姫香は暫《しば》し口を閉ざす。

やがて、何かを覚悟《かくご》したように、彼女は大きく深《しん》呼吸した後、言葉の続きを吐き出した。

「二人とも……いなくなったの。同じ日に」

「……」

「二人とも、その日は朝から興奮《こうふん》してた。首無《くびな》しライダーの恋人に会えるって……。姉《ねえ》さんの取材に妹も絶対ついていくって……。そのまま二人は、居なくなった」

あくまでも淡々《たんたん》とした調子で、姫香《ひめか》はまるで他人事《ひとごと》のように語る。

「何かの事件に巻き込まれたんだと思った。だけど……姉さん達だけじゃなかった。警察の人が、ずっと首無しライダーの事について聞いてくるからおかしいって思ったんだけど、調べてみたら、他に何人もいるらしいの」

「いるって……行方不明《ゆくえふめい》になった人が？」

「そう。私が知ってるだけで七人。だから、実際にはもっとたくさんいると思う」

「……」

今度は、八尋《やひろ》が沈黙《ちんもく》した。

彼女の姉に関しては初耳《はつみみ》だが、『妹』に関しては心当たりがある。

しかし、それをここで指摘《してき》して良いものだろうか、あるいは心の傷を抉《えぐ》る事にならないだろうかと考え、八尋はすぐにその名を出す事ができなかった。

——でもなあ。

――黙《だま》ってる方が、なんだか騙《だま》してるみたいで悪い気がする。

そう考えた八尋は、恐《おそ》る恐る姫香に尋《たず》ねる。

「もしかして……妹さんの名前って、辰神愛《たつがみあい》さん？」

「！」

反応を見ただけで、彼女の答えを待つまでもなく、疑問の答えが理解できた。

「どうして……妹の名前を？」

「うん……昨日《きのう》知り合った中学生の女の子がさ……、学校の先輩《せんぱい》が居なくなったっていう話をしてたんだ。その先輩の名前っていうのが、辰神愛さんだったから、もしかしてって思って」

「そっか……そうだよね。自分から首無しライダー探さなくても、街にいたら、そういう話は聞こえて来るよね」

「えっと、なんか、ごめん」

ペコリと頭を下げる八尋は、そのまま会話を続けようとしたのだが――

「なにしてんのかなー？」

そのタイミングで、教室に乱入者《らんにゅうしゃ》が現れる。

緑《みどり》の髪《かみ》をした、御調子者《おちょうしもの》のクラスメイトだ。

「ええと……」

「どうしたの、琴南君《ことなみくん》」

どうやら名前を覚えていないらしい姫香《ひめか》に代わり、八尋《やひろ》がその名を口にする。

「なんだよ、よそよそしい。久音《くおん》でいいって言ったろ？」

表面上《じょう》は明るく振る舞う久音に、姫香は僅《わず》かに目を細めた。

どうやら、警戒《けいかい》しているらしい。

それを察した八尋は、久音をフォローすべく口を開く。

「ああ、昨日《きのう》、格闘技《かくとうぎ》のジムまで案内してくれたんだ。その先で、さっきの話を聞いたからさ」

すると、久音がその言葉に食いついた。

「あ、もしかして昨日茜《あかね》ちゃんに聞いたあの話？　同じ名字《みょうじ》だから気になってたアレ？」

「あ、うん。まあ」

「おいおいおい、いくらなんでもストレートに本人《ほんにん》に聞くか？　普通さぁ」

呆《あき》れ混じりに肩を竦《すく》める久音だが、その口調《くちょう》に非難《ひなん》の色はない。

寧《むし》ろ、聞きにくい事をストレートに聞いた八尋に感謝しているかのような声色《こわいろ》だった。

妙《みょう》な疑いを抱かれては堪《たま》らないと、八尋は、慌《あわ》てて姫香に言う。

「久音君も、昨日そこでさっきの話を聞いてさ……その女の子の中学の先輩《せんぱい》を探す手伝いをする事になったんだけど……。ほら、君と名字が同じだから気になってたんだよ」

　やや早口になって言う八尋をジッと見つめた後、姫香は小さく溜息《ためいき》を吐いた。

「勝手《かつて》な事しないで……って言いたいけど、その女の子も君達も、私の事情とか知らないから、私が怒ったりするのは理不尽《りふじん》だよね」

「あ……いや、ごめん」

「ううん。謝るのは私の方。変な気を遣《つか》わせてごめん」

　無表情《むひょうじょう》のまま首を振る彼女を見て、八尋の心は更《さら》なる罪悪感《ざいあくかん》に苛《さいな》まされた。

　家族が失踪《しっそう》したばかりなのに、胸中穏《きょうちゅうおだ》やかな筈《はず》がない。

　恐らくは、心を完全に閉ざしてしまっており、だからこそ表《おもて》に出てくる感情が薄らいでいるのだろう。

　そんな事を考えて目を伏せていた八尋を余所《よそ》に、姫香はあっさりとした調子で二人に言った。

「改めて琴南君にも言うけど……」

「ああ、久音でいいよ。俺も姫香って呼ぶから」

「琴南君には悪いけど、それは嫌《いや》」

「あらら」

　話の腰を折られつつも姫香は全く調子を崩《くず》さずに続ける。

「私の姉《ねえ》さんも妹も、首無《くびな》しライダーと関わっていなくなった」

「へ？　お姉さんも!?」

――？

――なんだろう。

その瞬間《しゅんかん》、久音《くおん》の驚き方に八尋《やひろ》は妙《みょう》な違和感《いわかん》を覚えたが、その正体《しょうたい》が分からず、気にせずに流す事にした。

「そう、詳しくは、さっき八尋君に話したから、後で聞いて」

「ちょっと待って、八尋は下の名前で呼んでるってどういう事？　俺《おれ》は名前で呼ぶ事を拒否《きょひ》したのに⁉」

「？　だって、三頭池君《みずちくん》より八尋君の方が言い易《やす》いし。それに、私が嫌《いや》って言ったのは、貴方《あなた》が私の事を下の名前で呼ぶ事の方なんだけど……」

「あれ？　どっちしろ俺、嫌《きら》われてる？」

八尋はそんな二人のやり取りを聞いて、なんとなく違和感の正体に気付く。

――ああ、解《わか》った。

――なんていうか……久音くんの話し方って、あれだ。

――わざとらしいんだ。全体的に。

い、い、い、い、
本当の自分を隠《かく》しているのではないだろうか。

そう思いかけた八尋だが、慌《あわ》てて心中《しんちゅう》で首を振る。

――バカバカ、決めつけはよくない。

──東京《とうきょう》の人達《ひとたち》は、みんなこんな感じなのかもしれないし……。

実際の所、久音の知り合いの中でも、彼の『わざとらしさ』を感じとった人間は殆《ほとん》どいない。しかしながら、それは八尋の勘違《かんちが》いなどではなかった。

何故《なぜ》なら──折原《おりはら》姉妹や黒沼青葉《くろぬまあおば》といった『一部の人間』は、しっかりとその違和感に気付き、久音の本質《ほんしつ》まで辿《たど》り着いていたのだから。

再び話の腰を折られた姫香だったが、気にせず二人に『忠告《ちゅうこく》』を続ける。

「私はその女の子の事は知らないし、その子が私の妹を心配してくれてるのは嬉《うれ》しいけど……。首無《くびな》しライダーが危険だっていうのは解《わか》ったでしょう。近づくのは、止《や》めた方がいいわ」

「うん……それは解るんだけど……」

すると、それまで黙《だま》っていた八尋が、申《もう》し訳《わけな》無さそうに口を開いた。

「多分、それを言っても……その女の子は探すのを止めないと思う」

「……どうして？」

「その子は言ってたんだ。『首無しライダーは、悪い人じゃない』って。不思議《ふしぎ》な話だけど、その子は……首無しライダーの事を知ってるみたいだった。何か訳《わけ》ありみたいだったから、詳しくは聞かなかったけど」

「……」

姫香《ひめか》はその言葉を聞いて暫《しば》し考え込み——

目を伏せながら、ゆっくりと自分の荷物に手を伸ばす。

「そう……解《わか》った。とりあえず納得《なっとく》はできる」

小さく頷《うなず》いた後、そのまま二人に背を向ける。

「その子がどう思おうと、私は私にできる忠告《ちゅうこく》を君達にしただけ。あとは、君達が自分で選ぶ事だから、どうなっても私に責任は持てない。ごめんなさい」

「いや、それこそ、君が謝る事じゃないよ」

八尋《やひろ》がそう言うと、彼女は途中《とちゅう》で足を止め、こちらを振り返りながら言った。

「……そう言って貰《もら》えると気が楽になるけど、最後にもう一度言《い》っておくよ。……首無《くびな》しライダーには、関わらない方がいい。君が目的を果たしたいなら、平和島静雄《へいわじましずお》の方にしておいた方がいいわ」

そして——続く言葉を聞き、八尋は背に汗《あせ》を滲《にじ》ませる事になる。

これまで殆《ほとん》ど感情が無かった彼女の声に、確かに強い憎《にく》しみの色が籠められていたからだ。

「私は……首無しライダーは残酷《ざんこく》な悪魔《あくま》だと思う」

♂♀

来良学園前《らいらまえ》

すっかり日の暮れた学園前。

既《すで》に部活勧誘《ぶかつかんゆう》の時間も終わっており、生徒達《たち》の姿《すがた》も殆《ほと》ど見当たらなくなっている。

そんな中を歩くのは、お互いの情報を交換し終えた八尋と久音《くおん》の姿《すがた》だった。

「しっかし、さっきはなんていうか、姫香ちゃん、凄《すご》い迫力《はくりょく》だったよな？　結構《けっこう》な美人だけど、近づく男は少なそうだ。でも、そこが逆にこう、クるよな？　そう思わないか？」

同意《どうい》を求めてくる久音に、八尋は呆《あき》れながら口を開く。

「よくまあ、そう軽い調子で辰神《たつがみ》さんの事を話せるよね……」

「それが俺《おれ》の取《と》り柄《え》だよ。どんな重い話でも、前向きにポジティブでアグレッシブだぜ？　仮に姫香ちゃんの姉妹が失踪《しっそう》とかじゃなくて、惨殺《ざんさつ》死体で見つかったとかいう話でも、俺は前向きに受け止めるさ。姫香ちゃん本人《ほんにん》が惨殺されたわけじゃないからまあいいか……ってな」

「取り柄っていうか、物凄《ものすご》い欠点なんじゃ……」

八尋《やひろ》は今、割と人間として最低な事を言ったのではないかと不安になりつつも、ハッキリとは言えずに言葉を濁《にご》す。

　そんな八尋に、久音が思い出したように言った。

「ああ、しかし八尋よお、まさかお前、本当に図書《としょ》委員に入るとはなあ」

「えッ？　何かまずかった？」

　素《す》で返す八尋に、久音は慌《あわ》てて否定の言葉を返す。

「いや、不味《まず》くない、不味くないよー？　どうだった？」

「ああ、さっき辰神《たつがみ》さんとも話したけど、先輩《せんぱい》達もみんな優しい人で良かったよ。図書委員長も、凄《すご》い穏《おだ》やかな人だったし」

「はいはい、オリエンテーションで色々と喋《しゃべ》ってたあの図書委員長ね。あの女にモテそうなクール眼鏡《めがね》先輩ね」

　羨《うらや》ましそうに言う久音に、八尋が聞いた。

「久音くんは、部活《ぶかつ》とか委員会は入らないの？」

「俺《おれ》？　俺はちょっとパス。放課後《ご》、バイトとか色々したいしさ」

「バイトって、何やってるの？」

「ま、ちょっとした何でも屋って所さ。小遣《こづか》い稼《かせ》ぎみたいなもんよ」

　軽い調子だが、明らかに答えをボカしている。

あまり聞かれたくない事なのだろうと判断《はんだん》した八尋は、敢《あ》えてそれを追及《ついきゅう》はしなかった。

代わりに八尋は、全く別の事を尋《たず》ねる事にする。

「そういえば……久音くんはさ、平和島静雄《へいわじましずお》……っていう人の事、知ってるみたいだったけど」

「知ってるも何も……池袋《いけぶくろ》で遊び回ってて、知らない奴《やつ》ぁいねぇよ。あの化《ば》け物《もの》」

「……」

化け物、という単語《たんご》に、八尋の胸が強く抉《えぐ》られる。

そんな八尋の様子《ようす》に気付かず、久音は早口で『平和島静雄』の情報を語り始めた。

「昨日《きのう》も言ったけど、俺、その平和島静雄が自販機《じはんき》投げてんの見た事あんだけどさ……ありゃ、マジでヤベぇわ。俺が世話《せわ》になってる三年の黒沼《くろぬま》先輩とかも、『絶対に喧嘩《けんか》を売るな』って言ってるしよ」

「……」

──『絶対に喧嘩を売るな』ってみんなに言われるだなんて……。

──羨ましい……。

喧嘩を売られてばかりだった八尋がそんなどこかズレた感想を抱いている最中《さいちゅう》も、久音はペラペラと静雄についての情報を喋《しゃべ》り続ける。

「あの人を大人《おとな》しくさせられる奴はそうそういねぇって話さ。職場の先輩の言う事はよく聞くらしいけど、それでも一旦《いったん》喧嘩が始まったら止まらないらしいしな。それこそ、寿司屋《すしや》のサイモンしか……」

と、そこまで言った所で、久音《くおん》がポンと手を叩《たた》いた。

「そうだ、寿司《すし》食いに行こうぜ！　寿司！」

「ええっ⁉」

脈絡《みゃくらく》なく食事に誘われた八尋《やひろ》は、頬《ほお》を引きつらせながら自分の財布《さいふ》の中身《なかみ》を思い出す。

「ご、ごめん。今日《きょう》はそんなに持ち合わせが……」

「何《なに》言ってるんだよ！　奢《おご》ってやるよ！　奢り奢り！」

「えええっ⁉」

バシバシと背中を叩《たた》いてくる久音の言葉に、八尋は更《さら》に驚いた。

「いや、それは悪いよ！　だって寿司屋って……回転《かいてん》寿司だとしても……」

一皿《さら》一〇〇円の回転寿司だとしても、五皿頼むだけで五〇〇円。家が裕福《ゆうふく》だった八尋にとって大きな金額ではないが、昨日《きのう》今日会《あ》ったばかりの同級生に奢って貰《もら》う額《がく》ではない。いや、例え一〇〇円だとしても、八尋にとっては奢って貰うという事そのものに抵抗感《ていこうかん》がある。

しかし、そんな八尋の思いを無視《むし》し、久音は笑いながら歩みだした。

「いやいや、回転寿司もいいけどよ、今日は回ってねえ寿司にしようぜ！」

「！　いや、それなら、ちょっと待って、銀行かコンビニでお金を下ろしてから……」

「いいからいいから！　入学祝《いわ》いの限定学割《がくわり》やってる店があんだよ！　蟹《かに》の握り込みのコース

が、一人前三八〇円だぜ⁉」

「三八〇円⁉」

もしかして三カンから五カンほどの小盛《こも》り寿司なのだろうか。

そうでなければ、逆に安さが不安になってくる値段《ねだん》だ。

八尋の不安をよそに、久音は鞄《かばん》からチラシを取り出し、八尋の前に閃《ひらめ》かせる。

「露西亜《ロシア》寿司っていうんだけどよ……ロシア人の二人組が経営してる、ここらじゃ結構《けっこう》、有名な店なんだぜ？」

♂♀

川越街道《かわごえかいどう》沿い　某《ぼう》マンション
栗楠茜《あわくすあかね》がそのマンションに辿《たど》り着いたのは、決して偶然《ぐうぜん》などではなかった。

以前、彼女が『首無《くびな》しライダー』に連れられて辿り着いたマンション。

そして、その少し前にも一度訪《おとず》れていた場所でもある。

川越街道という事はハッキリと覚えていた為《ため》、ネットの地図にある、道路沿いの風景を映すサービスを用いて虱潰《しらみつぶ》しに探した結果、ようやく見覚えのあるマンションの入口を見つける事ができた。

中学も今日《きょう》は入学式の翌日《よくじつ》であり、昼過ぎには下校《げこう》となった為《ため》、こうして茜《あかね》は『首無《くびな》しライダーの住むマンション』へと辿《たど》り着いたのである。

「ええと……岸谷《きしたに》先生の部屋は……」

首無しライダーの部屋で出会った医者《いしゃ》の名前が『岸谷』だという事は覚えていた。

茜の知り合いである平和島静雄《へいわじましずお》の口からも度々《たびたび》出てくる名であり、彼が首無しライダーと同居している事は間違いない。

古い建物のせいか、高そうなマンションなのにセキュリティはあまりしっかりしていないようで、誰《だれ》でもマンションの部屋の前までは行けるようだ。

階段を上りながら一軒一軒の表札《ひょうさつ》を確認《かくにん》し、茜は最上階《さいじょうかい》で部屋《へや》番号の下に『岸谷』と書かれた表札《ひょうさつ》を見つける。

チャイムを押してみるが、反応はない。

10秒ほどの間を置いてもう一度鳴《な》らしてみるが、やはり部屋の中から返答は無かった。

ドアの近くにあった電気メーターを見ると、動いている様子《ようす》が欠片《かけら》もない。

恐らくは、冷蔵庫《れいぞうこ》やビデオの時計といった物すら使用されていないのだろう。

買い物や仕事に出かけた程度《ていど》の留守《るす》ではないと判断《はんだん》した茜は、胸に不安を湧《わ》き上がらせながら、とりあえず部屋の前を後にした。


続いて彼女は、地下にある駐車場《ちゅうしゃじょう》に足を運んだ。

しかしそこにも、住民の物と思《おぼ》しき車が数台停《と》まっているだけで、『首無しライダー』の痕《こん》跡《せき》は欠片も無かった。

「……」

かつて、自分をここまで運んできた『首無し馬』の痕跡も。

まるで、その時の出来事《できごと》が全て夢だったとでもいうかのように。

無性《むしょう》に悲しくなった茜は、暫《しばら》く地下駐車場を歩き続けた。

どんな些細《ささい》なものでもいい。何か残されているのでは無いかという願望《がんぼう》に突き動かされて。


それから暫く経過した後——

茜の背後から、聞き覚えの声が掛けられた。

「茜お嬢《じょう》さん、どうしたんですか」

振り返ると、そこには茜の父親より少し若い男が立っている。

「！　四木《しき》さん……」

更《さら》に、その後ろには二人ほど若い男が並んでいた。

二人とも顔つきこそ穏《おだ》やかだが、身に纏《まと》う空気が『堅気《かたぎ》の人間ではない』と主張している。

茜《あかね》は、彼らが父の組織《そしき》の人間——つまりは、非合法《ひごうほう》な活動をする組織に所属《しょぞく》する人間だという事を知っていた。

しかしながら、その中央に立つ四木《しき》という男は、茜がまだ親や祖父《そふ》の仕事を知らなかった時から何度も顔を合わせていた人間であり、職業はともかく、父の知人《ちじん》としては信頼できる人間だという事も理解している。

「四木さんも……首無《くびな》しライダーさんを探しに来たの？」

その言葉を聞いて、四木は小さく溜息《ためいき》を吐いた。

「やはり、茜お嬢《じょう》さんもそうでしたか」

「……」

「首無しライダーの件には、あまり関わらない方がいいですよ。あの運び屋も一応は、茜お嬢さんが嫌《きら》ってる、こっち側の人間ですから」

やんわりと『手を引いてくれ』と言っている四木に対し、茜は言う。

「でも……あの人は、人攫《ひとさら》いなんかする人じゃありません」

「それは、私もそう思っていますよ。ただですね、あの首無しライダーが無実《むじつ》だとしたら、そりゃ全く別の、得体《えたい》の知れない人攫いが奴《やっこ》さんの周りに関わってるって事なんですよ」

「……！」

「そんなヤバイ人攫いと茜お嬢さんが鉢合《はちあ》わせしたら、どんな事になるか解《わか》るでしょう？」

四木の言葉を聞いていた茜は、それが全くの正論《せいろん》だと思った。

しかし、納得《なっとく》はできても、引き下がるかどうかは話が別である。

茜がまだ諦《あきら》めていない事に気付いたのか、四木はそこで、茜の父の名を出した。

「幹彌《みきや》さんも、心配していましたよ。茜お嬢さんが、危ない事に首を突っ込んでるんじゃないかってね」

「……大丈夫《だいじょうぶ》です。私ももう、中学生ですから……」

父に対して心配をかけているという後ろめたさはあるのか、茜は僅《わず》かに目を逸《そ》らす。

そんな茜に対し、四木はゆっくりと首を振った。

「中学生だろうと高校生だろうと、二十歳過《はたちす》ぎた大人《おとな》だろうと、危ない時は危ないもんです。人攫いが関わってるとなりゃ尚更《なおさら》だ」

四木は威圧《いあつ》するわけではなく、ただ、重みのある声で茜に告げる。

「餅《もち》は餅屋《もちや》です。今回の件は、俺《おれ》や警察に任せちゃくれませんか」

すると、暫《しば》しの沈黙《ちんもく》を経て、茜がゆっくりと頭を下げた。

「……解《わか》りました。首無しライダーさんとお医者《いしゃ》先生の事、よろしくお願いします」

「もちろんです」

「餅《もち》は餅屋《もちや》っていうなら、私が学校とかで先輩《せんぱい》の事を聞くのは構わないですよね？　ただの家《いえ》出《で》かもしれないから、その方向で探してみたいんです」

「……それは」

難しい顔をする四木《しき》に、茜《あかね》は尚《なお》も言葉を続ける。

「危ない所には近づいたりしません。それに、一緒《いっしょ》に探してくれるっていう先輩達《たち》もいるんです。その人達《ひとたち》と一緒なら、大丈夫《だいじょうぶ》ですよね？」

四木は暫《しば》し茜の目を見た後、諦《あきら》めたように首を振った。

「……その先輩達にも、『危ない場所に近づくな』って釘《くぎ》を刺しておいて下さいよ」

「！　ありがとうございます！　四木さん！　何か解《わか》ったら、連絡《れんらく》します！」

ペコリと頭を下げ、そのまま外へと向かう茜。

そんな彼女の背を見送った後、横に居た若い衆《しゅう》の一人に声を掛ける。

「おい、お嬢《じょう》を送って差し上げろ」

「はい」

若者《わかもの》が一礼《いちれい》し、足早に茜の後を追っていった。

やがて、茜たちの姿《すがた》が完全に地下駐車場《ちゅうしゃじょう》から消えたのを確認《かくにん》すると、首をコキコキと鳴らした後――残る部下《ぶか》には聞こえぬ小声《こごえ》で、苦呟《にがつぶや》きを漏《も》らす。

「やれやれ、楽影《らくえい》ジムの影響《えいきょう》かね」

過去の茜の姿を思い返し、苦笑《くしょう》を交えながら言葉を続けた。

「攫《さら》われた時は歳《とし》よりも子供っぽいぐらいだと思ってたのに、一年半で随分《ずいぶん》と変わるもんだ」

♂♀

露西亜寿司《ロシアずし》

露西亜寿司は、池袋《いけぶくろ》の繁華街《はんかがい》にある変わり種《だね》の寿司屋だ。

60階通りのハンズ前から脇《わき》に入った所にあり、道を挟んだ隣《となり》にボーリング場がある為《ため》、学生達からサラリーマンまで、様々《さまざま》な年齢層《ねんれいそう》の人間が店の前を通る。

外観はいかにも『ロシア』という雰囲気《ふんいき》で、少しばかりわざとらしいほどだ。

しかしながら、店の内装《ないそう》は基本的にカウンターと座敷席《ざしきせき》であり、寿司屋らしさもきちんと兼《か》ね備えている。

そんな店のカウンターに座りながら、八尋《やひろ》はキョロキョロと周囲を見渡していた。

基本的な所は八尋の知る寿司屋と同じなのだが、あらゆる装飾《そうしょく》が異《い》国風《こくふう》であり、メニューにも『ボルシチ軍艦《ぐんかん》』や『クレムリン盛り』など見た事のない品名《ひんめい》が並んでいる。

カウンターにいる鋭い目をした白人《はくじん》といい、店内で接客《せっきゃく》をしている大柄《おおがら》な黒人《こくじん》といい、それこそ『ロシア本国《ほんごく》にある日本《にほん》料理店』と言われた方がしっくりくる店内だ。

「へーい、ピカピカの一年生に美味《おい》しいお寿司《すし》のお祝いネ。君らも酢飯《すめし》もピカピカよ、ネタがカピカピする前に食べる、いいネ」

日本語《ご》が上手《うま》いのか拙《つたな》いのか解《わか》らない事を言いながら、『サイモン』と書かれた名札《なふだ》を胸につけた黒人の大男《おおおとこ》が、八尋達《やひろたち》の席に寿司の盛り合わせを運んでくる。

軽く十カンを超える寿司が皿《さら》に載《の》せられており、これが一人前《いちにんまえ》三八〇円とはとても信じられなかった。

——どうしよう。

——何か変な物が入ってるんじゃや……。

元々《もともと》臆病《おくびょう》な性格である八尋は、暫《しば》し迷ってからその寿司を箸《はし》でつまんだ。

「……い、頂《いただ》きます」

恐《おそ》る恐る口にした八尋だが——

「……美味《おい》しい」

目を見開き、思わずそう呟《つぶや》いてしまう。

「だろ？　この店、ツッコミ所は多いけどよ、味はいいんだよ、味は」

「うん、本当に美味しい。港街《みなとまち》のお寿司みたいだ」

そんな学生達の会話を聞いたサイモンが、親指《おやゆび》をビシリと上に向けて微笑《ほほえ》んだ。

「オー、社長さん、違いの分かる人ネ。腹がへっては戦《いくさ》はできぬヨ？　勝って兜《かぶと》の緒《お》を締《し》める、負けたらベルトを緩めてお腹《なか》いっぱい夢いっぱいネ。お好み握りで夢心地一丁《ゆめごこちいっちょう》、イカガ？」

サイモンはそう言って店内のメニューを指さすが、『安心価格《かかく》！　ALL時価《じか》』と書かれていたのを見て、八尋は丁重《ていちょう》に握りの追加を辞退《じたい》する。

八尋は一通り寿司の味を堪能《たんのう》した後、改めて久音《くおん》に話を切り出した。

「そうそう、平和島静雄《へいわじましずお》っていう人の事だけど……どこに行けば会えるのかな」

「どこに行けばって……。この辺ずっとぶらついてりゃ、3日に一回は見かけると思うぜ？　バーテン服に金髪《きんぱつ》なんて目立つナリしてるから、解《わか》りやすいしな。っていうか、会いたいって、会ってどうする気だよ。マジで危ねえぞ？　物見遊山《ものみゆさん》なんて言ったら殺されちまうぜ？」

「そうなんだ……」

「まあ、最近じゃ少しだけ丸くなったって話だけどよ、一昨年《おととし》ぐらいまでは凄《すご》かったんだぜ？　不良連中《ふりょうれんちゅう》がガンつけただけで10メートルも殴《なぐ》り飛ばされたりしたらしいから」

すると、その会話を聞いていたカウンター内の店主《てんしゅ》が、包丁《ほうちょう》を洗いながら言う。

「学生さん達、静雄に興味《きょうみ》があんのかい」

「え？　あ……はい」

「悪いこたぁ言わん。何も用がないなら、そっとしといてやるのがお互いの為だ」

店主《てんしゅ》はそう言った後、ジロリと八尋達《やひろたち》に視線を向けた。

サイモンとは逆に、実に流暢《りゅうちょう》な日本語《にほんご》で語る店主《てんしゅ》。

その言葉に重みを感じ、八尋も久音《くおん》も黙《だま》り込んで彼の話に聞き入った。

「あいつだって、ただの人間なんだ。動物園《えん》の動物みてぇに見られて嬉《うれ》しがるような奴《やつ》じゃねえし、お前さん達も、無駄《むだ》な怪我《けが》をしたかないだろう？」

「それは……」

八尋はそう言ったまま黙《だま》りこみ、久音は目を逸《そ》らして肩を竦《すく》める。

店主の言葉を聞いた八尋の中に、再び負の感情が湧《わ》き上がった。

——確かに、その通りだ。

——喧嘩《けんか》を売るつもりはないけど……。やっぱり、俺《おれ》を化《ば》け物《もの》呼ばわりしてきた奴らと同じ目で、静雄《しずお》って人の事を観《み》てるんじゃないのか？　俺は……。

——俺は……静雄って人に会えたら、何がしたいんだ？

鬱々《うつうつ》とした目で下を見る八尋と、机の上に置かれた彼の手を暫《しば》し見比《みくら》べていた店主は、次の作業に向かいながら言葉を続ける。

「見た所、坊主達も色々と抱えてるもんがありそうだが……」

「えっ」

「何をするにしても、真《ま》っ直《す》ぐに生きろよ。それが、自分自身《じしん》の人生に負い目を作らねぇで生きてくコツだ」

「……」

一体この店主は自分達の中に何を感じたのだろうか。

己《おのれ》の中にある卑《いや》しさを全てを見透《みす》かされた気がして、八尋は急に恐ろしくなった。

「あの……ありがとうございます。気を付けます」

「……」

店主の方もそれ以上何《なに》も言わず、無言《むごん》のまま魚の身に刃《は》を滑《すべ》らせている。

一瞬《いっしゅん》の沈黙《ちんもく》の後、久音が八尋の腕を肘《ひじ》でコツリと突きながら小声《こごえ》で言った。

「いやいや、ほら、な？　興味本位《きょうみほんい》で関わるもんじゃねえって、平和島《へいわじま》静雄にはさ」

「あ、うん……」

生返事《なま》をする八尋だが、そんな覇気《はき》の無い彼を引き戻す為《ため》に、久音は話題を切り替える。

「それより、辰神《たつがみ》さんの妹？　どうやって探すか考えようぜ」

「とはいえ、どうやって探せばいいんだろう……」

「昔だったら、ダラーズを使えば良かったんだけどなあ」

「ダラーズ？」

突然《とつぜん》出て来た奇妙《きみよう》な単語《たんご》に、八尋はお茶を啜《すす》りながら眉《まゆ》を顰《ひそ》めた。

「ああ、ダラーズってのはさ、一昨年《おととし》まで池袋《いけぶくろ》にいたカラーギャングのチームなんだけどさ……まあ、色々あって解散したんだよ。カラーギャングっつっても、ネット中心でさ……。中坊《ちゅうぼう》やそこらのリーマンや主婦まで、サークル感覚で参加してたんだよ」

「へぇ……」

そういえば、首無《くびな》しライダーの事をネットで調べていた時に、そんな単語《たんご》を見たような気がする。ただ、『数百人が所属《しょぞく》するギャング集団』という感じで語られていた為《ため》、恐ろしくなってあまり詳しくは調べていなかった事を思いだした。

「そのダラーズのコミュニティは、池袋《いけぶくろ》に関してはすげえ情報集《あつ》めるのに便利でよ……人捜《ひとさが》しなんかあっという間だったんだぜ？」

「そうなんだ……東京《とうきょう》って、やっぱり凄《すご》いね」

「東京云々《うんぬん》は関係なしに、あのダラーズってのは明らかに異常な集団だったよ。ま、そこにいた連中《れんちゅう》も、いちいち『俺《おれ》は元ダラーズだ』なんて言いふらしたりはしねえだろうけど」

皿《さら》に一つ残っていた寿司《すし》を頬張《ほおば》り、呑《の》み込んだ後に久音《くおん》は嘲笑《ちょうしょう》混《ま》じりに続ける。

「もうとっくのとうに時代遅《おく》れ、名前と噂話《うわさばなし》だけが残ってる過去の遺物《いぶつ》ってわけよ。ダラーズも、黄巾賊《こうきんぞく》もさ」

そして、ふと顔から笑《え》みを消し、独《ひと》り言《ごと》のように一言《ひとこと》付け加えた。

「ブルースクウェアは……まだイケる口かな」

♂♀

都内某所《ぼうしょ》　廃《はい》ビル

都心部《ぶ》からは大分《だいぶ》離れた場所にある、一軒《いっけん》のビル。

工事の最中《さいちゅう》に放棄《ほうき》されたようで、二階までは通常のビルの形状《けいじょう》をしているが、それより上の部分は建築中《ちゅう》のまま作業が止められており、剝《む》き出しの鉄骨《てっこつ》が不気味《ぶきみ》なシルエットを街の中に生み出している。

そんな廃ビルの中に、一人の男の声が響《ひび》き渉《わた》った。

「おいおい……俺ぁな、ブルースクウェアの元幹部《もとかんぶ》様《さま》だぞ？　そこんとこ解《わか》ってんのか、オイ」

顔面や腕に包帯《ほうたい》を巻いたチンピラ風《ふう》の男――法螺田《ほらだ》が、自分よりもあからさまに年下《としした》な少年達に対して因縁《いんねん》を付けている。

「ったく、ブルースクウェアが復活《ふっかつ》したって噂聞いたから期待してたらよぉ、しょべぇガキと頭悪そうなガキばっかじゃねえか」

どこからか運んで来たと思《おぼ》しきソファに座っている法螺田の前には、かつて彼が所属《しょぞく》していた組織《そしき》──『ブルースクウェア』の現在の面子《メンツ》が集まっていた。

その中心にいた黒沼青葉《くろぬまあおば》は、無言《むごん》のまま法螺田《ほらだ》の話を聞いている。

横に居たヨシキリが先刻《せんこく》から『おい、こいつぶっ殺していいのか？』という視線をチラチラと送ってくるが、それを目で制した後、青葉はニコニコと笑いながら言った。

「いえ、お恥《は》ずかしい限りです。法螺田さんの武勇伝《ぶゆうでん》は、先輩達《せんぱいたち》から聞かされてますから」

「お？　そ、そうか？」

「黄巾賊《こうきんぞく》に潜入《せんにゅう》して内部から滅茶苦茶《めちゃくちゃ》にした件とか、平和島静雄《へいわじましずお》を銃《じゅう》で弾《はじ》いたとか、法螺田さんが居なきゃ、今のブルースクウェアは無かっただろうって」

「あ、いや……そう！　そうなんだよ。まあ、俺《おれ》が当時のブルースクウェアを支えてたっつっても過言《かごん》じゃあねえよな、うん」

ヨシキリが今度は『【過言】ってどういう意味だ？』という感じの目を向けてくるが、それは無視《むし》しつつ青葉が口を開く。

「ええ、兄貴《あにき》から、ずっと聞かされてましたよ。法螺田さんの事は」

「兄貴……？　ん？　お前、黒沼とか言ったよな？」

「ええ」

「俺の知り合いに、黒沼なんて奴《やつ》いたかな」

手にした缶《かん》ビールの蓋《ふた》を開けながら首を傾《かし》げる法螺田に、青葉が笑いながら言った。

「ああ、親が離婚《りこん》したんで、名字《みょうじ》が違うんですよ。兄貴の事は、法螺田さんも知ってると思いますよ？」

「ほー、何て名前の野郎《やろう》だ？」

「泉井蘭《いずみいらん》……って言うんですけど」

ブボ、と、飲みかけていたビールを噴《ふ》き出す法螺田。

「い、いい、泉井……さんの？」

顔を青くしながら尋《たず》ねる法螺田に、青葉はにこやかに話し続けた。

「ええ、兄貴は今、粟楠会《あわくすかい》に入っちゃってますけど、法螺田さんが出て来たって聞いたら、すぐにでも会いに来てくれると思いますよ？」

「そ、そうか。泉井さんのね。ハハ」

青葉に対する視線が露骨《ろこつ》に変わり、法螺田はゆっくりとソファから腰を上げた。

「ま、まあ、泉井さんによろしくな。若いのに大変だろ、うん」

泉井という男に対しての畏《おそ》れを声色《こわいろ》の裏に見え隠《かく》れさせつつ、法螺田はそのまま歩き出した。

「ええ、『屍龍《ドラゴンゾンビ》』に嬰麗貝《エイリーベイ》が戻って来てるんで、小競《こぜ》り合いが絶えませんよ」

その言葉を聞いて、法螺田はビクリと肩を震わせる。

「……え、嬰の奴がね、なるほどな」

「法螺田さんが後《うし》ろ盾《だて》について下さるなら、こっちも安心して大がかりな抗争《こうそう》を仕掛けられるんですけどね」

「ハッ……ハハッ。いやー、そうしてやりたいのは山々だけどよ、俺《おれ》も色々と忙《いそが》しいし、やっぱりOBが出しゃばるようじゃあ、チームの為《ため》にならねえしな？」

法螺田《ほらだひ》は冷や汗《あせ》を掻《か》きながら、足早《あしばや》にその場を後にした。

「ま、頑張《がんば》れよ？　俺《おれ》も陰ながら応援《おうえん》してるからよ！　な？　じゃあな！」


そんな台詞《せりふ》を吐いて、ビルから逃げるように出て行った法螺田。

彼が消えた後、青葉《あおば》に他の仲間達《なかまたち》が話しかけた。

「なんつーか、まあ、そりゃブルースクウェアも一回消えるよな。あれじゃ」

すると、青葉は肩を竦《すく》めながら答える。

「いやあ、それも計算の内だったからね。あの人にしちゃ頑張《がんば》った方じゃない？」

「つっても、いくら刑務所《けいむしょ》に入ってたからってよ……嬰麗貝《エイリーベイ》の事も知らねえような『耳』じゃ、どのみちもう部外者《ぶがいしゃ》みてえなもんだぜ」

「ああ、そうだね。今のブルースクウェアには要《い》らないかな。兄貴《あにき》みたいに、ムショに入ってがらっと人間が変わってるかもしれないって思ったけど」

青葉はクスクスと嗤《わら》いながら、先刻《せんこく》まで法螺田が座っていたソファに腰掛《こしか》けた。

「そういえば、あの怪我《けが》……平和島静雄《へいわじましずお》にやられたんだって？」

「ああ、高校時代の後輩《こうはい》とか引き連れてナンパしてたらやられたんだと。しかも、ナンパしてた相手が九瑠璃《くるり》ちゃんってんだからお笑いだぜ」

「……」

一瞬《いっしゅん》黙《だま》った青葉に対し、周囲の面々《めんめん》がはやし立てる。

「おっと、笑い事じゃないだろって面《つら》してるぜ、青葉君よう」

「まあ、手ぇ出してたら、さっきのオッサンは今頃《いまごろ》血だるまで転がってたよな」

「彼女じゃないって口じゃ言ってるくせに。お熱いねぇ」

「……殺す！」

ヨシキリが理不尽《りふじん》に怒りながら手を伸ばして来たのをスルリと避け、青葉は立ち上がりながら話を誤魔化《ごまか》した。

「しかしまあ……平和島静雄も丸くなったもんだよね。あの程度《ていど》の怪我で済ませるなんて」

「そ、そうかぁ……？」

眉《まゆ》を顰《ひそ》める仲間達に、青葉は言う。

「まあ、丸くなっただけで、喧嘩《けんか》が弱くなったわけじゃないけどさ……あの忌々《いまいま》しい情報屋《や》が街から消えて、そろそろあの人も、不良《ふりょう》やチンピラ同士《どうし》の喧嘩だのなんだのの世界からは姿《すがた》を消す頃合《ころあ》いなのかもしれないね」

自身が高校生だという事を棚《たな》に上げ、青葉は老成《ろうせい》した言葉を吐き出した。

「なんにでも世代交代《せだいこうたい》ってのはあるもんさ。俺達《おれたち》だって例外じゃない」

そして、ふと考えた後、少し退屈《たいくつ》そうに息を吐く。

「ま、平和島静雄《へいわじましずお》には、交代する後輩《こうはい》なんていないけどさ」

♂♀

数時間後《すうじかんご》　池袋市街《いけぶくろしがい》

——どうして、こうなったんだろう。

三頭池八尋《みずちやひろ》は、混乱する頭をフル回転させ、己《おのれ》の過去を振り返った。

様々《さまざま》なイメージが脳内《のうない》を駆《か》け巡り、それに合わせた感覚が全身を震わせる。

　　肌《はだ》を劈《つんざ》く空気の冷たさ。

　　　　誰《だれ》かに抱かれた感触《かんしょく》。

　　　　　　温泉独特《どくとく》の匂《にお》い。

旅館での生活。

　　　　　　初めて学校に入った日。

　　突然《とつぜん》上級生に絡まれた恐怖《きょうふ》。

　そして、溢《あふ》れ出る血と、自らの拳《こぶし》の痛み。

　　　　血　血　血　血血血血血
「化け物《ばけもの》」　「化け物」　「化け物」　「化け物」

　怯《おび》えの目　「化け物」　拒絶《きょぜつ》　「化け物」　折れた誰かの歯　「化け物」

　生まれて来た頃《ころ》から今までの人生が脳裏《のうり》に浮かんだところで、それが『走馬《そうま》燈《とう》』と呼ばれる事に気が付き、慌《あわ》てて脳内からそれらのイメージを打ち消した。

　――違う違う違う。

　――俺が考えなきゃいけないのは……一分前《まえ》の事だ。

　――あと……これからどうしなきゃいけないのか……って事だ。

　頬《ほお》に冷《ひ》や汗《あせ》を垂《た》らす彼の目の前に広がる現実の光景《こうけい》は、実にシンプルだった。

　街の交差《こうさ》点《てん》。取り巻く野次馬達《やじうまたち》。

　目の前に立つ――金髪《きんぱつ》とサングラス、そしてバーテン服が特徴《とくちょう》的な男。

　平和島静雄。

　生ける『都市伝説《でんせつ》』は、ネット上の噂話《うわさばなし》や捏造映像《ねつぞうえいぞう》などではない。

それを証明《しようめい》するかの如《ごと》く、『伝説《でんせつ》』は、目の前の現実として八尋《やひろ》の前に立っていた。

彼のこめかみが怒りに引きつっているのが、3メートルほど離れたこの位置からでも解《わか》る。

呼吸に合わせて上下する肩の動きは、まるで獣《けもの》のようだ。

男の双眸《そうぼう》は獲物《えもの》を眼前《がんぜん》にした狂犬《きようけん》よりも鋭くギラついており、並大抵《なみたいてい》の人間ならば、目を合わせただけでその場から動く事ができなくなる事だろう。

そして、そんな『怪物《かいぶつ》』――平和島静雄《へいわじましずお》の敵意《てきい》は現在、三頭池八尋という少年一人に対して向けられていた。


――なんで……。

――なんでこんな事に……。


周囲の野次馬達《やじうまたち》の目は、半々だ。

半分は『平和島静雄の力が見られる』という好奇《こうき》の目。

もう半分は、『あの高校生、死ぬな』という憐《あわ》れみの目。

静雄の力を畏《おそ》れ、怯《おび》える目をした者は殆《ほとん》どいない。

彼の恐ろしさを知っている者達は、暴虐《ぼうぎやく》の嵐《あらし》に巻き込まれぬよう、とっくにこの場から離れてしまっていたからだ。

それは同時に、この場で最も怯えている人間は、八尋であるという事でもあった。
もっとも、自販機《じはんき》を投げ飛ばすような男に敵意を向けられているのだから、どちらにせよ、最も怯えるのが八尋である事に違いはなかったのだが。

そして、八尋は生来《せいらい》の臆病者《おくびょうもの》だ。
死にたくない。怖《こわ》い。生き残りたい。
自分から恐怖《きょうふ》を遠ざけたい。
だからこそ、必死《ひっし》に思い出そうとする。
どうしてこんな事になったのかと。
ここから先の打開策《だかいさく》、すなわち、恐怖を遠ざける方法を考える為《ため》に。

——俺《おれ》は、寿司屋《すしや》でこの人の話をして……。
——店主《てんしゅ》の人に言われて、この人を探すのを止《や》めようと思って……。
——その後、辰神《たつがみ》さんの妹を探して回ってて……。
——ああ、そうだ。偶然《ぐうぜん》だ。
——偶然、巻き込まれただけなんだ。

実に長い時間が流れたように感じたが、実際の時間では僅《わず》か数秒の事であった。

走馬燈《そうまとう》と共に頭の中に溢《あふ》れた脳内麻薬《のうないまやく》が、時間の感覚を狂《くる》わせていたのかもしれない。

錯覚《さっかく》に過ぎないとは言え、その時間があったからこそ、八尋《やひろ》はようやく一分前《まえ》の出来事《できごと》を思い出す事ができた。

そして、改めて理解する。

今、彼が自分に敵意《てきい》を向けているのは——紛《まぎ》れもなく、自分の憶病《おくびょう》さが原因だという事を。

少年の視線が、平和島静雄《へいわじましずお》の斜め下にずれる。

アスファルトに転がっているのは——地面に仰向《あおむ》けに倒れている、緑髪《りょくはつ》の少年。

八尋はただ、怯《おび》えただけなのだ。

生まれて初めてできた『友達』というものを、目の前で失うかもしれないという恐怖《きょうふ》から。

自分が何もしない事で、琴南久音《ことなみくおん》が死ぬかもしれないという恐怖から。

ただ、ただ、逃げ出したかっただけなのだ。

♂♀

数分前

その日、平和島静雄は苛《いら》ついていた。

会社の事務所に顔を出した際、妙《みょう》な噂《うわさ》を耳にしたからだ。

――『首無《くびな》しライダーが、人攫《ひとさら》いをしている』

静雄と『首無しライダー』が知人《ちじん》であるという事を知らない新入《しんにゅう》社員が、得意《とくい》げにネットのとあるアフィリエイト《広告提携》ブログ――池袋周《いけぶくろまわ》りの情報を集めたニュースサイトの情報をひけらかしていたのである。

ニュース記事の周りに載せた広告等《とう》から収入を得ているサイトの為《ため》、閲覧数《えつらんすう》を上げるために人の興味《きょうみ》を煽《あお》る記事タイトルになっている事が多いのだが――

その新入社員のタブレットPCに映っていた『【都市伝説《でんせつ》再開のお知らせ】池袋で連続失踪《しっそう》の犯人は、首無しライダーらしいぞ！』というニュース記事タイトルを見て、静雄が「おい、この記事書《か》いた糞野郎《くそやろう》には、何処《どこ》に行きゃ会えるんだ……？」と言いだした為、社長やトムが出社するまでの間、誰《だれ》も静雄に近づけない状態が続いていた。

静雄は怒りをぶちまける相手も居ないまま、ヘソの奥にその激憤《げきふん》を押し込んだまま一日の仕事に臨《のぞ》んでいたのである。

「さてと……まあ、そう苛つくなって。寿司《すし》でも喰って、嫌《いや》な事は忘れようぜ」

「……うす」

「露西亜《ロシア》寿司が、確か学割《がくわり》の他にもなんか割引やってた筈《はず》だしな」

鬱屈《うっくつ》した気持ちを抱えたまま、なんとか一日の仕事を終えた静雄《しずお》は、そのままトムと共に露《ロ》西亜寿司《シアずし》へと向かっていたのだが——

「やっぱ俺《おれ》さ、首無《くびな》しライダーが人攫《ひとさら》いで間違いないと思うぜ？」

露西亜寿司から道路を一本挟《はさ》んだ所にある、ボウリング場を含めたレジャー施設《しせつ》。

その壁沿《かべぞ》いに並ぶ自販機《じはんき》の前でジュースを買っていた緑髪《りょくはつ》の少年が、そんな事を大声《おおごえ》で言い出した。

「どうしたの、突然」

それまで普通に行方不明者《ゆくえふめいしゃ》の情報を求めて街を歩き回っていた八尋《やひろ》。

結局、久音《くおん》の知り合い達では有力《ゆうりょく》な情報が得られず、露西亜寿司の前まで戻って来た。

自販機の前でジュースを買っていた所で、突然久音が首無しライダーの話を切り出したのだ。

「いやー、だってよ……茜《あかね》ちゃんだっけ？　あの子の手前《てまえ》は『誤解《ごかい》があるんだったらさ、やっぱり解いておかないと』とは言ったけどよ……結局《けっきょく》首無しライダーって化《ば》け物《もの》じゃん？」

「いや、それは……」

「お前だって、怪物《かいぶつ》見物にわざわざ池袋《いけぶくろ》まで来たんだろ？」

「それは……まあ……」

ハッキリと答える事ができず、言葉を濁《にご》しながら自販機のボタンを押す八尋。

「ていうか、首無しライダーが化け物だろうが人間だろうが、どうせろくな奴《やつ》じゃねえって。人攫《ひとさら》いぐらいしててもおかしかねえよ。俺もツイッティアでそう拡散《かくさん》したけどよ、誰《だれ》も反論なんかしてこなかったぜ？　みんな心の中じゃ解《わか》ってんだよ。首無しライダーが、人攫いして当たり前なクズだってさ」

「ツイッティア？」

「あー……まあ、ブログみてえなもんさ。そういや、俺のそういう呟《つぶや》きが、色んなニュースサイトの記事に転載《てんさい》されてよー。超ウケたよ。まあ、あの茜って嬢《じょう》ちゃんにゃ悪いけどさ」

「ニュースに転載？　それって……何か御礼《おれい》にお金とか貰《もら》えたりするの？」

ネットは首無しライダー等の情報を調べる事にしか使っていなかった為《ため》、そうしたネットサービスや特殊《とくしゅ》なサイトの事に疎《うと》い八尋は、久音の言っている事の意味が時々《ときどき》解らない。

じっくり聞いてみようと思い、返事を待ちつつ、八尋はゆっくりとしゃがんで缶《かん》ジュースを受け取り口から取り出した。

「……」

「？」

しかし、返事が全く返ってこない。

「久音君？」

聞こえていなかったのかと思い、八尋は立ち上がりざまに振り返り——その光景《こうけい》を、目《ま》の当たりにする。

八尋《やひろ》の目の前で、こめかみをひくつかせた金髪《きんぱつ》の男が、久音《くおん》の襟首《えりくび》を摑《つか》んで宙高《ちゅうたか》く持ち上げていた。

一瞬《いっしゅん》何が起こったのか解《わか》らず、八尋はそのまま固まってしまう。

その金髪の男が『平和島静雄《へいわじましずお》』であるという事に気付いた時、彼の中に無数《むすう》の疑問が湧《わ》き上がった。


——え？

——平和島静雄……？

——動画《どうが》で見た。

——本人《ほんにん》？

——久音君を片手で軽々《かるがる》と……。

——いや、え、なんで？

何か悪い夢でも見ているのではないかと思い、その場を動けなかった八尋だが——持ち上げられた久音の呻《うめ》きで、正気《しょうき》に戻る。

「ちょ、ちょっと！　何してるんですか！」

慌《あわ》てて駆《か》け寄ろうとした八尋の前に、ドレッドヘアの男が割り込んできた。

「よせ、怪我《けが》するから、不用意《ふようい》に近づくな」

「……」

ドレッドヘアの男に敵意《てきい》は無いようで、彼は困った顔をしながら静雄に向かって声を掛けた。

「おい、静雄……」

しかし、彼の声は耳に届いていないらしく、平和島静雄は、こめかみをひくつかせながら重々《おもおも》しい声を絞《しぼ》り出した。

「……おい、小僧《こぞう》……。てめぇか……？　あんなくだらねぇ噂《うわさ》を広めやがったのは……」

「あがッ……ちょッ……待って……」

久音は足をばたつかせながら、必死《ひっし》に弁解《べんかい》の言葉を叫ぶ。

「お、俺《おれ》は平和島さんの事は悪く言ってないっすよ！　本当っす！　し、信じて下さい！」

「あぁ……？　俺はどうでもいいんだよ……どんなこと言われても仕方ねぇ生き方してきたからよ……」

かろうじて理性《りせい》を保ちながら、静雄は地獄《じごく》の底から響《ひび》くような声で言葉を続ける。

「だけどな……俺のダチを人攫《ひとさら》い扱いされて、黙《だま》ってられるわけねぇだろ……なぁ……？」

「だ、ダチって……じゃ、じゃあ、あんた本当に、首無《くびな》しライダーの……」

「あいつは、人を攫って誰《だれ》かを泣かせるような奴《やつ》じゃぁねえんだよ……。まあ……あいつも無《む》灯火《とうか》で走ったりしてるからよ……それに関して悪く言われるのは仕方ねえが……」

怒りを漲《みなぎ》らせながらも、必死《ひっし》に殴《なぐ》るのを我慢《がまん》している様子《ようす》だった。

「……その上で茜《あかね》の奴《やつ》に対して、適当な事ぶっこいてたってのはよ……そりゃ、筋《すじ》が通ってねえんじゃねえか……？　なあ……？」

八尋《やひろ》は、そのやり取りを聞いて平和島静雄《へいわじましずお》の怒りを理解する。

単純な話だ。

友人を人攫《ひとさら》い扱いされ、その噂《うわさ》をみんなに広めたとあっては怒るのも無理《むり》はない。

そして、やはり平和島静雄は粟楠茜《あわくすあかね》とも知り合いだったようだ。

様々《さまざま》な要素が絡み合い、平和島静雄の怒りが爆発《ばくはつ》してしまったのも無理はない。

——なんてタイミングの悪い……！

——久音《くおん》くんもまた、ピンポイントで怒らせるような事を……。

——……？

胸に、静雄への恐怖《きょうふ》とは別のざわめきが走った。

久音に対して先刻《せんこく》と同じような違和感《いわかん》を覚えたのだが、今の八尋に、それを追及《ついきゅう》する余裕《よゆう》は無い。

八尋が戸惑《とまど》っている間に、久音はペラペラと命乞《いのちご》いめいた言い訳《わけ》を繰り返している。

「い、いや、待って下さいよ。首無《くびな》しライダーが人攫いってのも、俺《おれ》が言い出したわけじゃなくってですね……ゲホッ……」

「おい、学生さん。理不尽《りふじん》に思うかもしれねえが、ここは一旦《いったん》素直に謝っとけ、な？」

ドレッドヘアの男が静雄に持ち上げられた少年に対してそう言うが、彼の声が聞こえていないのか、焦《あせ》った久音はとうとう洒落《しゃれ》にならない爆弾を持ち出した。

「お互い冷静になりましょうよ！　ね!?　ほ、ほら、俺になんかあったら、弟さん、い、いに迷惑《めいわく》かかっちゃうんじゃないっすかねぇ？」

「……」

「知ってるんすよ、俺。貴方《あなた》の弟って、超《ちょう》有名人なんでしょ？　俺がネットでこの事を拡散《かくさん》したら、弟さんのブログまで炎上《えんじょう》しちゃいますよ？　ね？」

半分恫喝《どうかつ》ともとれる言葉に、ドレッドヘアの男が顔を一気《いっき》に青くする。

以前、同じような事を口にした借金塗《まみ》れの男が、どんな目に遭《あ》ったかを知っていたからだ。

「ば、馬鹿野郎《ばかやろう》！　お前、自殺《じさつ》する気か!?」

「えッ……？」

久音が呆《ほう》けた声を出すのと、ほぼ同時に——

「はッ……？」

彼は、自分の体が宙高《ちゅうたか》く舞い上がっている事に気付く。

「なッ、ちょッ……おおおおぉぉぉ!?」

そして、落下《らっか》する久音目《め》がけ、静雄の拳《こぶし》が振り抜かれた。

バチン、と、打撃音《だげきおん》というよりも破裂《はれつ》音といった方がしっくりくる音が周囲に響《ひび》く。

人々が振り返ると、そこには宙《ちゅう》を舞う緑色《みどりいろ》の髪《かみ》をした少年の姿《すがた》があった。

数メートル吹き飛ばされ、ゴロゴロとアスファルトの上を転がる久音《くおん》。

「あぁッ！　く、久音君！　……うわッ⁉」

八尋《やひろ》は慌《あわ》てて駆《か》け寄ろうとしたが、足が縺《もつ》れて転んでしまう。

そこで八尋は、自分の足がガタガタと震えている事に気が付いた。

――あ、あれ……。

――どうしよう、こんなの……初めてだ。

子供の頃《ころ》から、八尋は様々《さまざま》なものに怯《おび》えながら生きてきた。

しかし、目の前にいる平和島《へいわじま》静雄《しずお》という存在に感じるのは、これまで味わってきたものとは全く別種《べっしゅ》の『恐怖《きょうふ》』であり、少年にとって全く未知《みち》の感覚だった。


「あーあ……やっちまった……」

顔を顰《しか》めながら、ゆっくりと首を振るトム。

救急車《きゅうきゅうしゃ》を呼ぶべきか、とりあえず殴《なぐ》り飛ばされた少年の様子《ようす》を確認《かくにん》しようと顔を上げたところで、彼は気付く。

「……静雄？」

倒れた少年に向かって、静雄が足早《あしばや》に歩を進めているという事に。

やり過ぎたと反省して、助けに行ったのだろうか。

そんな希望的観測《かんそく》が頭を過《よ》ぎったが、トムはすぐにその考えを打ち消した。

通り過ぎた静雄の横顔《よこがお》から、怒りが全く消えていなかったからだ。

——おいおい、嘘《うそ》だろ。

——あの状態に追い打ちなんざしたら、マジで死ぬぞあの学生！

「おい、待て静雄！」

普段《ふだん》は静雄が暴《あば》れている間、離れた場所で嵐《あらし》が収まるのを待つトムだったが、流石《さすが》に今回は制止の言葉をかけた。

しかし、その声が聞こえていないのか、静雄は止まろうとしない。

バーテン服の青年は地面に転がる緑髪《りょくはつ》の少年の前まで行くと、片足を後ろに反《そ》らせた。

——おい⁉　蹴《け》っ飛ばす気か⁉

「静雄！」

少年を庇《かば》おうと、慌《あわ》てて駆《か》け出したトム。

その瞬間《しゅんかん》——

トムの顔面の横を、物凄《ものすご》い勢いで何かが通り過ぎた。

「⁉」

耳元《みみもと》を通り過ぎた風切音《かざきりおん》に驚くトムの目の前で、『それ』は、勢い良く静雄の後頭部《こうとうぶ》に激突《げきとつ》する。

あまりにも唐突《とうとつ》な出来事《できごと》だった。

ガコリ、と鈍《にぶ》い音がし、一秒ほどの間を置いて、『それ』が地面へと転がり落ちる。

地面の上でガラガラと鈍い金属音《きんぞくおん》を出す『それ』の正体《しょうたい》は、一本の缶ジュースだった。

高速で飛来《ひらい》した缶《かん》が、静雄《しずお》の後頭部《こうとうぶ》に直撃し、そのまま重力《じゅうりょく》に従って落下《らっか》する。

言葉にすれば単純な光景《こうけい》だが、それを目撃《もくげき》した者達は、皆一様《みないちよう》に息を呑《の》み、これから起こる大惨事《だいさんじ》の予感《よかん》に身を震わせた。

野球《やきゅう》ボールのような勢いで投げられた、中身《なかみ》入りの缶ジュース。

それはもはや凶器《きょうき》であり、後頭部に直撃すれば、下手《へた》をすれば死を招く事すらある。

久音《くおん》を蹴《け》る寸前《すんぜん》だった静雄は動きを止め、ギギギ、と、ゼンマイ仕掛《じか》けの人形のようにゆっくりと背後を振り返った。

静雄の視線の先には、一人の少年の姿《すがた》がある。

足元《あしもと》に転がる緑髪《りょくはつ》の少年と同じ、来良《らいら》学園の制服《せいふく》を身に纏《まと》っていた。

肩を激しく上下させながら呼吸をしており、顔面《がんめん》には冷《ひ》や汗《あせ》が滲《にじ》み出ていた。

何かを投げた後のような体勢《たいせい》で固まっていた事から、少年が静雄に未《み》開封《かいふう》の缶ジュースを投げつけたのはほぼ確実である。

それでも、静雄はゆっくりと口を開き、足元《あしもと》に転がる缶をちらりと見てから、確認《かくにん》の問いを口にした。

「今……俺《おれ》にこれを投げたのは……手前《てめえ》か……？」

地獄《じごく》の底から響《ひび》いてくるような声。

少年は額《ひたい》に脂《あぶら》汗を滲ませ、呼吸を荒げていた。

周囲の目には、今にも恐怖《きょうふ》で失神《しっしん》しそうなほどに怯《おび》えているように見える。

だが、少年はゴクリと唾《つば》を飲み込んだ後——声を震わせながら言った。

「……やりすぎ、ですよ」

そして、少年はその場に直立《ちょくりつ》し、数メートル先に立つ『怪物《かいぶつ》』に対してハッキリと言い放つ。

「喧嘩《けんか》するっていうなら……俺《おれ》が、相手になります」

♂♀

そして、現在に至る。

——ああ、そうか。

こちらに向けられる凄《すさ》まじい殺気《さっき》を浴びながら、八尋《やひろ》はこんな状況に追い込まれた理由を鮮《せん》明《めい》に思い出した。

――俺《おれ》が、喧嘩《けんか》を売ったんだ。

――……俺が？

――嘘《うそ》だろ？

今まで理不尽《りふじん》に喧嘩を売られ、その恐怖《きょうふ》を何よりも知っている自分が、今、何をしたのか。

それを実感《じっかん》すると同時に、八尋《やひろ》は自分自身《じしん》が怖《こわ》くなった。

目の前に立つ男の殺気《さっき》と、自分自身への不信感《ふしんかん》。

二つの『恐怖』に挟まれ、八尋の心は潰《つぶ》れそうだった。

久音《くおん》というクラスメイトが、平和島静雄《へいわじましずお》という怪物《かいぶつ》に襲《おそ》われていた先刻《せんこく》の状況。

そんな光景《こうけい》を目の前にして、八尋が最も怖《おそ》れたのは、つい数十秒前《まえ》まで、自分のような人間と笑いながら話してくれた人間を、この世から失うという事だった。

静雄の足元《あしもと》に転がっているのが姫香《ひめか》だとしても、恐らく同じ行動を取っただろう。

そんな事はありえないだろうが、粟楠茜《あわくすあかね》や折原舞流《おりはらまいる》、あるいは今日《きょう》知り合ったばかりの図書《としょ》委員長だったとしても、やはり八尋は静雄に喧嘩を売っていたかもしれない。

命がけの行動だというのは、彼も理解していた。

しかし、それ以上に怖かったのだ。

これまで避《さ》け続けられて生きてきた自分と、初めて対等《たいとう》な人間として関わりを持ってくれた人々を見捨《みす》て、自分だけ逃げ出すという行為が。

彼はつまり、勇気を振り絞《しぼ》ったわけでもなければ、自己犠牲《ぎせい》の精神を発揮《はっき》したわけでもない。

理性《りせい》ではなく、本能《ほんのう》。

恐怖から逃げようとする本能が、反射的に選んだのだ。

平和島静雄を止めるという、無謀極《むぼうきわ》まりない所業《しょぎょう》を。


「……もう一つ、聞いとくぜ」

ゆらり、と体をこちらに向けながら、平和島静雄が問いかけた。

「お前も……セ……。あー……『首無《くびな》しライダー』を、人攫《ひとさら》いだと思ってる口か？」

「……」

答え次第《しだい》で、自分の命運《めいうん》が決まる。

八尋はそう確信《かくしん》しながら、正直に答えた。

「……わかりません。首無しライダーに、会ったことがないですから」

「さっき……『怪物見物《かいぶつ》に来た』みたいな話をしてやがったが……あいつを見世物《みせもの》かなんだかと思ってやがるのか……？」

ここで適当な嘘《うそ》をつけるほどに器用《きよう》ならば、これまでの恐怖も別の手段で回避《かいひ》する事ができ、『化《ば》け物《もの》』と呼ばれる事も無かっただろう。

更《さら》に、ここで八尋《やひろ》の理性《りせい》が働いた。

まだ、久音《くおん》は静雄《しずお》の足元《あしもと》に倒れたままだ。

平和島静雄の敵意を、完全に自分に向けなければならない。

八尋の理性は、そう判断《はんだん》した。

本能《ほんのう》によって、生まれて初めて他人《たにん》に喧嘩《けんか》を売った少年は——

理性によって、生まれて初めて、他人に対して挑発《ちょうはつ》の言葉を投げかける。

——思い出せ、思い出せ。

これまでの人生で読んできた本、観《み》て来たドラマ、そんな中から『それらしい』台詞《せりふ》をできる限り引き出し、それを表《おもて》に出そうと試みた。

「ああ、そうだ」

静雄を精一杯睨《せいいっぱいにら》み付けながら、八尋は拳《こぶし》を強く握り込む。

「俺《おれ》は……あんたと首無《くびな》しライダーみたいな化《ば》け物《もの》を見物しに池袋《いけぶくろ》まで来てやったんだよ」

過去の記憶《きおく》を総動員《そうどういん》した割に、絞《しぼ》り出せたのはせいぜいその程度《ていど》の挑発《ちょうはつ》だった。

しかし、それは平和島静雄という男の意識《いしき》を完全にこちらに向けるのには、十分な言葉だったと言える。

「そうか……それじゃ、しょうがねえなぁ……」

静雄はゆっくりとこちらに歩を進め——八尋の前に立ったところで、ゆっくりと拳《こぶし》を握り込んだ。

「檻《おり》のねえ所で見物してんだ……その化け物に殴《なぐ》り殺されても……文句《もんく》はねえって事だよなぁ

ああぁあああぁあーッ！」

獣《けもの》の咆吼《ほうこう》を思わせる怒号《どごう》が、池袋のビルの間に木魂《こだま》する。

そして、ミサイルのような圧迫感《あつぱくかん》を纏《まと》った静雄の拳が、勢い良く八尋の顔面《がんめん》へと迫り——

秋田《あきた》から来た少年は、過去最大《さいだい》の『恐怖《きようふ》』を味わう結果となった。

♂♀

都内某所《ほうしよ》　八尋の下宿先《げしゆくさき》

「うお、どうしたんだよ、その面《つら》」

八尋が家の前まで戻ると、下宿先の大家《おおや》の弟——三郎《さぶろう》が声をかけてきた。

二郎《じろう》とは全く雰囲気《ふんいき》の違う男で、聖辺《ひじりべ》ルリというアイドルと、自分の車をこよなく愛する自由人である。

アパートに隣接《りんせつ》している自宅の庭で車にワックスをかけていた所、通りかかった八尋と鉢合《はちあ》

わせしたようだ。

「あ……いえ、階段から転げ落ちちゃって」

「いやいやいや、解《わか》りやすい嘘《うそ》つくんじゃねえよ」

三郎《さぶろう》の目に映る八尋《やひろ》の顔にはいくつもの青アザや切り傷があり、所々が腫《は》れている。

よく見ると服もぼろぼろになっており、どう見ても『階段から転げ落ちた』様子《ようす》とは思えなかった。

「なんだぁ？　おい、もしかして誰《だれ》かに虐《いじ》められたのか？　ガキの喧嘩《けんか》に一々口出《いちいちくちだ》すつもりはねえが、よってたかってフクロにされたってんなら話は別だ。大事《だいじ》な親戚《しんせき》をボコられて黙《だま》ってるわけにはいかねえぞ」

「あ、いえ……」

これは、嘘をつけば更《さら》に話がこじれるだろう。

そう思った八尋は、正直に話す事にした。

「フクロじゃないです……一対《たい》一で、喧嘩しました。すいません」

ペコリと頭を下げる八尋に、三郎は笑いながら言う。

「謝ることねえって。俺《おれ》だってお前ぐらいの歳《とし》の時にゃ、喧嘩ばっかしてたからな。弱い者イジメだのカツアゲだのしなきゃ、文句《もんく》は言わねえよ。まあ、兄貴達《あにきたち》には、階段から転げ落ちたって誤魔化《ごまか》しといてやるさ」

「……ありがとうございます」

「それにしても、派手《はで》にやったな。誰《だれ》と喧嘩《けんか》したんだ？　来良《らいら》にそんな喧嘩っ早い奴《やつ》がいるのか？　それとも串灘高校《くしなだこうこう》の奴か？」

車にワックスを掛け始めながら、世間話《せけんばなし》として会話を続ける三郎《さぶろう》だったが――

「ええと……知ってるかどうかわかりませんけど……バーテン服を着た、平和島《へいわじま》さんっていう人で……」

八尋《やひろ》の答えを聞き、キュイ、とワックス掛けの手を止めた。

眉《まゆ》を顰《ひそ》めながらゆっくりとこちらを振り返り、三郎が言う。

「お前……え？　マジでか？　なんで？」

「あ、いえ……うっかり怒らせちゃって……。俺《おれ》が悪いんです」

「おいおい、大丈夫《だいじょうぶ》か!?　病院とか行かなくていいか？」

「ええ……平和島さん……俺が倒れて動けなくなった後、追い打ちとかはしないで許してくれましたから」

そんな少年の胸中《きょうちゅう》は知らず、三郎はホッと息を吐く。

「そうか、そりゃ良かった。平和島の旦那《だんな》、最近丸《まる》くなったってのは本当だったんだな……」

「御存知《ごぞんじ》なんですか」

「ああ。まあ、ちょっとな。昔の平和島静雄《しずお》だったら、その程度《ていど》の傷じゃあすまなかったぜ。

入院コースでもおかしかねえや」

「そ、そうなんですか……」

渡草《とぐさ》は再びワックスがけの作業に戻り、背《せ》中越《なかご》しに言った。

「まあ、普通の奴《やつ》相手なら、ずっと怒りを引き摺《ず》るような奴じゃねえしな。もしまた会ったら、前に怒らせた事をきちんと謝っときゃ、それ以上虐《いじ》められるこたぁねえよ」

「そうですか……ありがとうございます」

ペコリと頭を下げ、そのまま自分の部屋へと戻っていく八尋。

そんな彼の背を見送った渡草は、ワックスをかけながら独《ひと》り言《ごと》を呟《つぶや》いた。

「しかしまあ……あいつ、静雄にぶん殴《なぐ》られたってのに、ヤケに上機嫌《じょうきげん》だったな」

「殴られすぎて、どっかおかしくなったんじゃなきゃいいけどよ」

♂♀

八尋の部屋
下宿先《げしゅくさき》であるアパートの一室に戻った八尋は、大きく息を吐いた後、バタリと床に倒れ込む。

そのまま転がって仰向《あおむ》けになり、天井《てんじょう》を見ながら呟《つぶや》いた。

「……負けたなあ」

負けた。

ハッキリとそう口にした瞬間《しゅんかん》、様々《さまざま》な感情が八尋《やひろ》の胸中《きょうちゅう》に渦巻《うずま》いた。

「生まれて初めて……喧嘩で負けたんだよな……俺《おれ》……」

身体中《からだじゅう》の骨が軋《きし》み、肉の中を痛みが走り抜ける。

自分の中で混ざり合う痛みと感情をどう纏《まと》めたら良いのか解《わか》らず、放心《ほうしん》して天井を見つめ続けた。

そのまま10分程《ほど》経過した所で、八尋は呟く。

「悔《くや》しいし、嬉《うれ》しいし、なんだろう、これ」

平和島静雄《へいわじましずお》は、本当に強かった。

あんな人間が本当に実在《じつざい》していた事に、驚きを禁じ得ない。

『君なんか普通だよ』と言っていた、あの旅行者《しゃ》の言葉が頭に響《ひび》く。

「そうか……俺、普通だったんだな……」

誰《だれ》かに負けるという事に、『悔しい』という感情が湧《わ》き上がるとは夢にも思っていなかった。

しかし、そんな感情が湧き上がる自分が、嬉しくて仕方ない。

「俺……人間でいいのかな」

体中《からだじゅう》に響く痛みすら、自分が人間だという証明《しょうめい》のようで心地《ここち》好く感じてくる。

「それとも……俺も、あの平和島さんも、化《ば》け物《もの》って事なのかな」

どちらにせよ、八尋は救われた気分だった。

自分は、孤独《こどく》では無い。

世界は、退屈《たいくつ》な檻《おり》などではない。

それが解《わか》っただけで、生きる事に価値《かち》があると思えたからだ。

——それに……良かった。久音君《くおんくん》が殺されずに済んで。

久音は無事《ぶじ》だったようで、平和島静雄が去った後に、普通に自分を助け起こしてくれた。お互いに放心状態で殆《ほとん》ど会話をしなかったが、とにかく、互いに生きているだけで良かったと思えた。

生まれて初めてできた友人の事や、明日《あした》、姫香《ひめか》に怪我《けが》の事を何か言われるだろうかなどという事を考えながら、八尋は徐々《じょじょ》に眠りへと落ちていく。

そして最後に、この数日で出会った人々の顔を思い出しながら——満足そうに微笑《ほほえ》み、微睡《まどろ》みの中で小さく小さく呟《つぶや》いた。

「俺、この街なら……上手《うま》くやっていけるのかな……」

しかしながら——
八尋《やひろ》はまだ、気付いていない。

自分が、何をしでかしてしまったのかという事を。

♂♀

♂♀

夜　某《ぼう》ビル屋上

「よう、ここにいたか」

屋上《おくじょう》の扉《とびら》を開いて現れたトムが、静雄《しずお》の背を見つけて声をかけた。

ここは彼らの会社であり、屋上には社員なら誰《だれ》でも出入りできる。

一日の仕事の報告が終わった後、静雄はずっと屋上から街を眺《なが》めていたようだ。

「さっきの事、気にしてんのか？」

「……まあ、そんなとこっす」

「あの、黒髪《くろかみ》の方のガキの事か？」

「ええ……今《いま》思うと、アイツ、そんな悪い奴《やつ》じゃなかったのかもしれねえなって……」

そんな事を言う静雄の背に、トムが肩を竦《すく》めながら自分の意見を口にする。

「ま、あの緑《みどり》の髪の奴《やつ》を助ける為《ため》に、敢《あ》えてお前を挑発《ちょうはつ》したってとこだろうな」

「トムさんも、そう思いますか」

静雄はトムに背を向けたまま、夜景《やけい》に向かって独《ひと》り言《ごと》を呟《つぶや》き漏《も》らす。

「今度会《あ》ったら、謝らねえとな……」

「ま、そんな気負わなくていいんじゃねえか？　あの缶《かん》ジュースをお前の後頭部《こうとうぶ》にぶん投げたのは、マジで普通の奴《やつ》なら死んでてもおかしかねえ真似《まね》だしよ。向こうも向こうで、お前に謝りたいと思ってるかもしれねえぜ？」

「……」

「そんな事よりよ、俺《おれ》はマジで驚いたよ」

静雄の隣《となり》に立ち、トムも街の景色《けしき》を眺《なが》めながら言った。

「世の中ってのは、広いよなあ」

「……そっすね」

「最終的に、お前が勝ったとは言えよ……」

トムは、チラリと横に立つ静雄《しずお》の顔を見る。

そこに見えたのは――割れたサングラスの下に覗《のぞ》く、青アザや擦過傷《さつかしょう》だ。

「俺《おれ》はよ、お前があんだけ殴《なぐ》られんのも、素手喧嘩《ステゴロ》で誰《だれ》かに地面にぶっ倒されるのも、初めて見たぜ……。腕を脱臼《だっきゅう》してんのは、一昨年《おととし》一回だけ観《み》たけどな」

更《さら》に言うなら、静雄の腕が包帯《ほうたい》で首から吊《つる》されている。

その痛々《いたいた》しい包帯を見た後、トムは静雄と対等《たいとう》に喧嘩《けんか》した少年の顔を思い出し、冷《ひ》や汗《あせ》を掻《か》きながら口を開いた。

「まさか、あんなに強ぇ高校生がいるたぁな……」

間章　ネットの噂《うわさ》③

池袋《いけぶくろ》情報サイト『いけニュ～！　バージョンI．KEBU．KUR．O』
人気記事《にんきじ》『【情報提供《ていきょう》求む】平和島静雄《へいわじましずお》とタメはれる高校生が現れたらしいぞ！』

どうも、管理人《にん》なりよ。

今日《きょう》、信じられない情報が入ってきたなりよ。

あの平和島静雄が、高校生と喧嘩《けんか》して危うく負けそうになったらしいなりよ。

（中略《ちゅうりゃく》）

←参考動画《どうが》なりよ。

【外部リンク】

遠くから携帯《けいたい》で撮影《さつえい》してるだけだから、顔とかよく解《わか》らないなりが、どうも来良《らいら》学園の制服《せいふく》で間違いないっぽいなりよ。

確かに平和島静雄《へいわじましずお》とまともに喧嘩《けんか》してるように見えるなりよ。

去年までは来良《らいら》学園にそんな強者《つわもの》がいるなんて話聞《き》いたことないから、恐らくあれなりよ。

新入生《しんにゅうせい》なりよ。

……いやいや待つなりよ。てことは、15前後の子が静雄とやり合ったなりか？

何しろ曖昧《あいまい》な情報ばかりなりよ。

詳《くわ》しいプロフィールを知ってる人はメールフォームで管理人《にん》に送信するなりよ。

明日《あした》の池袋《いけぶくろ》は君次第《しだい》なりよ。


ちなみに、ウザいウザいと大不評《だいふひょう》だけど、今月はずっとこの語尾《ごび》でいくなりよ。

いくなりよ？

♂♀

『ツイッティア』より呟《つぶや》きを一部抜粋《ばっすい》

・平和島静雄がやられたってマジ？

→やられてはいない。最後ちゃんと勝ってたってよ。
　→マジか。騙《だま》されてた。
　　→でも、何回かダウンしたっぽい。
　　　→マジか。

・静雄が高校生と喧嘩したらしいけど、自販機《じはんき》投げたの？
→投げようとしたけど、その直前に高校生が懐《ふところ》に飛び込んで膝《ひざ》を蹴《け》ってた。
　→えげつなッ！
　　→なにが？
　　　→自販機なんか持ち上げてる時に膝なんか蹴った日にゃ、普通は膝が砕《くだ》けて潰《つぶ》れる。
　　　　→普通は自販機なんて持ち上げられないいんじゃ……。

・来良学園マジやべぇ。
→あの辺りなら、串灘《くしなだ》高校の方がヤバくね？
　→串灘はオワコン。

・つーか、いけニュ～管理人《にん》がいい歳《とし》こいてどこぞのネギ坊主《ぼうず》みたいにナリナリ言ってるのはなんなの。

→いまさらそこつっこむ？

→だって、あそこの管理人《にん》って歳《とし》いくつよ？

→知らんわー。顔出《かおだ》ししないもんな、あいつ。

→語尾《ごび》はニャンが宜《よろ》しいかと思います。

→ニャンて。

四章

四章A　新参者《しんざんもの》

数年前《まえ》　池袋《いけぶくろ》

「首無《くびな》しライダーの事を知りたいって？」

ファー付きの黒コートを羽織《はお》った『情報屋《や》』の男は、肩を竦《すく》めながら言った。

それに対する情報屋の『客』は、一体いくら払えばいいのかと問いかける。

「ああ、お金は他の情報と同じでいいよ。ただし、話す範囲《はんい》は他の情報より限られるね。何しろ、あの首無しライダーも俺《おれ》の情報源《げん》の一つなんでね」

情報屋は、自らの部屋の椅子《いす》に体を預け、天井《てんじょう》を仰《あお》ぎながら語り始めた。

「まず、最初にハッキリと言っておこう。首無しライダーは、文字通り首無しライダーだ。手《て》品《じな》や仮装《かそう》の類《たぐい》じゃない。れっきとした『化《ば》け物《もの》』だよ。異形《いぎょう》、怪物《かいぶつ》、幻獣《げんじゅう》、妖精《ようせい》、妖怪《ようかい》、モノノケ、怪異《かいい》、都市伝説《でんせつ》、UMA……まあ、どんな呼び方をするかは人それぞれだと思うし、それぞれの単語《たんご》の細かい定義《ていぎ》についてここで議論《ぎろん》する気はないけどね」

首無《くびな》しライダーが人間ではないという事を断言《だんげん》し、客が怒ったり鼻で笑ったりしないのを確《かく》認《にん》した後、情報屋《や》はニヤリと笑いながら続ける。

「なるほど、ある程度《ていど》は首無しライダーの事を観《み》てきたって感じだね。確かに、あれを実際に見たら、この世の者とは思えないだろうね。エンジン音のしないバイクや体から滲《にじ》む影を見て、まだ人間の所業《しょぎょう》だと思える方が凄《すご》いと思うよ？　ああ、ただ、人間の技術の進歩も凄《すさ》まじいからね。もしかしたら、今の技術でも再現《さいげん》可能かもしれないけれど」

そこまで言って、情報屋《や》は僅《わず》かに話を脱線《だっせん》させた。

「ああ、人間の可能性《せい》っていうのは本当に素晴《すば》らしいと思うよ？　人間が夢見《ゆめみ》た者はいつか必ず実現されるなんて言うけれど、脳《のう》科学やバーチャルリアリティの技術が発達すれば、夢と未来の区別が付かなくなるだろうね。『いつか』のタイムラグが無くなるんだ。空を飛びたいと夢見た瞬間《しゅんかん》、それを読み取った機械《きかい》が、本当に空を飛ぶ光景《こうけい》を脳《のう》に直接見《み》せる……そんな時代になるかもしれない。人間は怠惰《たいだ》を極めて進化《しんか》を止めるかもしれないけれど、俺《おれ》はそんな未来も肯定《こうてい》するよ」

天井《てんじょう》に向けていた顔を客に向け、楽しそうに笑いながら言う。

「俺は、人間が大好《だいす》きだからね」

そして、脱線していた話を、そのままの流れで元へと戻した。

「逆に言えば、俺は基本的に、人間以外《いがい》は好きじゃない。憎《にく》いとさえ思ってる。ただ、まあ、あの首無しライダーに関しては、今の所は特に嫌悪《けんお》も敵意《てきい》も無い」

ニヤニヤと笑いながら、『首無しライダー』について語る情報屋。

「まあ、今の所は……って話だから、もしも彼女が人間《にんげん》社会そのものを変えようとし始めたら、それは嫌《きら》いになると思うけど」

情報屋は僅かに目を伏せ、『首無しライダー』の事を思い返しながら言葉を続けた。

「あの『首無しライダー』はね、人に混じって、人を学んだのさ。とある理由があって、人間社会に混じりながら暮らすハメになったあの怪物《かいぶつ》は、何が人間にとって大事《だいじ》な事で、何がやってはならない事かを。皮肉《ひにく》な事に、そのせいで、そこらのチンピラよりもまともな性格になったってわけさ。正直、驚くべき勢いで人間という『存在』を模倣《もほう》できてる思うよ」

そこで一旦《いったん》言葉を止め、客の目をみつめながら情報屋が更《さら》に口元《くちもと》を歪《ゆが》ませる。

「ただ、人間が『首無しライダー』を人間として見られるわけじゃない。八重歯《やえば》程度《ていど》の差異《さい》しかない吸血鬼《きゅうけつき》ならともかく、結局の所、彼女は『首』という人間として重要な部位《ぶい》が存在していないんだからね」

何が言いたいんだと尋《たず》ねる客に、情報屋は答えた。

「人間は異質《いしつ》なものを見た時、どうするのかって話さ」

彼はゆっくりと椅子《いす》から立ち上がり、様々《さまざま》な書物が並んだ本棚《ほんだな》の前に歩み寄る。

「畏《おそ》れ敬《うやま》うのか、単に恐怖《きょうふ》に震えるのか、非日常への入口だと現実逃避《とうひ》の材料にするのか、利用しようとするのか、殺そうとするのか、見るのも嫌《いや》だと排除《はいじょ》するのか、あるいは自分の方が逃げるのか……君はどうなのかな？　まあ、どんな答えだろうと別にいいけど」

指で本の背をなぞりつつ、情報屋《や》は客に対して改めて断言《だんげん》した。

「俺《おれ》は、人間が大好きだからね」

そして――ふと思い出したように、とある男の事を口にした。

「ま、俺の知り合いに一人、首無《くびな》しライダーを『恋人として愛する』なんて素《す》っ頓狂《とんきょう》な答えを出した奴《やつ》もいるけどね。それはそれで、人間の選択の一つとして俺は尊重《そんちょう》するよ」

情報屋は本を何冊《なんさつ》か取り出し、整理しながら言葉を紡《つむ》ぐ。

「人間は、異質《いしつ》な物を前にした時に色々な反応を示す。例えそれが化《ば》け物《もの》や異形《いぎょう》の類《たぐい》ではなく、同じ人間でもね。戦争の時は英雄《えいゆう》だった豪傑《ごうけつ》が、平和になった途端《とたん》に途轍《とてつ》も無い力を持った怪《かい》物《ぶつ》として怖《おそ》れられる事もある。人によって、時代や社会によって、反応は違って当然だしね」

軽く肩を竦《すく》めながら、情報屋は皮肉《ひにく》げな言葉を口にした。

「そういう意味で、『化け物』が社会の中で生きる時、重要なのは、人間の側じゃない。『化け物』の側なんだと俺は思うよ」

「……千差万別《せんさばんべつ》の反応を見せる人間達の中から、誰《だれ》の手を取るかっていう話さ」

♂♀

現在　池袋《いけぶくろ》

「平和島静雄《へいわじましずお》と……殴《なぐ》り合える高校生？」

青葉《あおば》の言葉には、あからさまな疑念《ぎねん》と、『本当だったら凄《すご》いな』という素直な驚きの感情が入り交じっていた。


もうすぐ夜中《よなか》の12時になろうとしている、池袋の繁華街《はんかがい》。

流石《さすが》に人の数も減っているものの、飲み屋帰《がえ》りのサラリーマンなど、昼間とはまたひと味違《ちが》う人の気配《けはい》に満ちている。

法螺田《ほらだ》が去った後、青葉達は街に繰り出し、適当にぶらついていた。

舞流《まいる》から『辰神愛《たつがみあい》って女の子を探してるの。詳しくは久音《くおん》くんから聞いてね！』というメールが来たものの、肝心《かんじん》の久音がブルースクウェアの集まりに顔を出さなかったため、そちらではまだ動いていない。

——明日《あした》、舞流ちゃんか九瑠璃《くるり》ちゃんに直接聞くかな……。

そんな事を考えながら歩いていた所で、たまたま街の噂話《うわさばなし》が耳に入った。

――「平和島静雄《へいわじましずお》が、やばかったんだってよ」

――「もう少しで負けるとこだったんだって？」

何をバカなと思ったが、妙《みょう》に気になり、手近《てぢか》な角《かど》に立ち止まってスマートフォンを確認《かくにん》する。

そして、いくつかの情報サイトやSNSを挟んで、それらしき情報に辿《たど》り着いた。

「なんだよ、『いけニュ～』じゃん」

見知った池袋系《いけぶくろけい》情報サイトに貼《は》られていた情報を見ても、まだ青葉《あおば》は半信半疑《はんしんはんぎ》だったが――

動画《どうが》を見た瞬間《しゅんかん》、完全に黙《だま》り込む。

――これは……特撮《とくさつ》……なわけないよな。

――平和島静雄が手加減《てかげん》してる？　いや、それもない。

――っていうか……これ、なんて動きしてんだよ……。

人間離《ばな》れしたフットワークで静雄の拳《こぶし》を躱《かわ》しながら、的確《てきかく》に打撃《だげき》を与えていく『来良《らいら》学園の制服《せいふく》を纏《まと》った少年』。

自分の学校の生徒にこのような動きをする人間が居た事に驚いていた青葉だが、動画の一部に、気になるものを見つけた。

動画の画質《がしつ》が荒い上に、だいぶ遠くから望遠《ぼうえん》でとったものなのだろう。

戦っている人間の顔はよく解《わか》らなかったのだが――画面端《はし》の方でゆっくりと立ち上がる人物

については、それが誰《だれ》なのかハッキリと解った。

やはり来良学園の制服を纏った、緑色《みどりいろ》の髪《かみ》をした男。

「琴南《ことなみ》か……」

『静雄と対等《たいとう》に戦う少年』と、青葉の後輩《こうはい》であり、ブルースクウェアの一員でもある少年が、同じ動画の中にいた。

その事実を噛《か》みしめると、青葉は胸に様々《さまざま》な感情を湧《わ》き上がらせ、薄く笑う。

「あいつ……一体誰《だれ》を……いや、何か、何を見つけたんだ？」

♂♀

都内某所《ぼうしょ》　廃《はい》工場

「平和島静雄の……体調とかが悪かったんだと思うかぁ？　インフルエンザだったとかさぁ」

軽い調子で吐き出された声が、工場の中に響《ひび》き渉《わた》る。

かつて、『黄巾賊《こうきんぞく》』や『ブルースクウェア』が溜《た》まり場として使っていた事もある廃工場。

黄巾賊《こうきんぞく》が消え、ブルースクウェアが溜《た》まり場を移した現在、この場所は全く別のチームが所《しょ》有《ゆう》していた。

『屍龍《ドラゴンゾンビ》』

古くから池袋《いけぶくろ》周辺を縄張《なわば》りとしている暴走族《ぼうそうぞく》であり、カラーギャングが現れる前は、『邪《ジャ》ン蛇《ジャ》カ邪《ジャ》ン』と並んで二大勢力《せいりょく》と呼ばれて恐《おそ》れられていた存在である。

しかし、暴走族も時代の波に合わせて変化し、『邪《ジャ》ン蛇《ジャ》カ邪《ジャ》ン』は粟楠会《あわくすかい》の下部《かぶ》組織のような形となって地下に潜《もぐ》り、『屍龍《ドラゴンゾンビ》』は、リーダーである嬰麗貝《エイリーベイ》がとある事情で池袋を離れて以来、有名無実《ゆうめいむじつ》の存在と成り果てていた。

残されたメンバーは情報屋《や》の小間使《こまづか》いなどをして、かろうじてチームを存続《そんぞく》させていたが――その情報屋が街から消えた事で、いよいよ解散かという所まで追い詰められてしまっていたのである。

ところが、そのタイミングで、チームは再び転換《てんかん》を迎えた。

リーダーの男が、街に戻って来たのである。

「静雄《しずお》は、化《ば》け物《もの》だよねぇー。それは昔っから変わってないよねぇー」

20代前半《ぜんはん》と思《おぼ》しきその男は、工場内《ない》に散在《さんざい》するチームメイト達に背を向け、視線を上に向けたままそんな事を言い続けている。

それもその筈《はず》で、リーダー――嬰麗貝は、チームの面々《めんめん》に話をすると同時に、全く別の作業を行っていたのである。

彼は両手を巧《たく》みに動かし、複数の物体を空中に放り投げては逆の手で受け取る――つまりは、ジャグリングに興《きょう》じていたのだ。

それだけなら、巫山戯《ふざけ》半分で話をしているとしか思われない光景《こうけい》だが、チームメンバー達は誰一人《だれひとり》として笑っていない。

彼が放り投げている物が、幅広の刃《やいば》を持つ中国《ちゅうごく》の武器《ぶき》、柳葉刀《りゅうようとう》だったからだ。

日本人《にほんじん》の多くが『青竜刀《せいりゅうとう》』と言われてイメージする武器《ぶき》だが、実際の青竜刀は、薙刀《なぎなた》のように柄《つか》の長い物をさす。

とはいえ、凶悪《きょうあく》な武器であるという事には変わり無く、歯止《はど》めされていない複数の刃が、麗貝の頭上《ずじょう》で照明の明かりを跳ね返しながら勢い良く回転し続けていた。

麗貝の左右に置かれたドラム缶《かん》の上には、二人の若い少女が座っている。

彼の技術を信用しているのか、一歩《いっぽ》間違えば自分達が刃の餌食《えじき》になる位置にも関わらず、涼《すず》しい顔をして彼の言葉に応《こた》えた。

「私達もそれ、偶然見《ぐうぜんみ》てたよ」

「凄《すご》かった凄かった、あの子も静雄と同類《どうるい》だよ」

順番《じゅんばん》に口を開いた少女達の言葉を聞き、ジャグリングを続けていた男は、楽しそうに楽しそうに笑いながら、背後にいるチームメイト達に語りかける。

「気になるなぁ、面白い事になりそうだなぁ」

次の瞬間《しゅんかん》、手の動きを変え、腕で巻き取るように、複数の刃《やいば》を手中《しゅちゅう》に収めていく。

全ての刃を手にした時点で勢い良く振り返り、芝居《しばい》がかった調子で両手を広げた。

「是非《ぜひ》とも、会ってみたいなぁ」

♂♀

都内某所《ぼうしょ》　路地裏《ろじうら》
「し、静雄《しずお》と普通に殴《なぐ》り合う奴《やつ》だと⁉　マジか⁉」

手にしていた缶《かん》ビールを取り落とし、仲間のチンピラに詰め寄る法螺田《ほらだ》。

「おいおい、フカシぶっこいてるわけじゃねえだろうな⁉」

「ま、マジっすよ！　俺《おれ》もその現場《げんば》にいたんすから！　遠目《とおめ》で顔はよく解《わか》んなかったっすけど、絶対来良《らいら》学園の生徒っすよあいつ！」

それを聞いた法螺田は、思わず拳《こぶし》を握りしめた。

「おいおい……静雄クラスの奴って、そりゃ間違い無くバケモンだろうがよ！　そんな小僧《こぞう》がいるなら、なんとしても俺らの仲間に引き込むしかねえだろうがよぉ……！」

「マジっすか」

「そうすりゃ、ブルスクの後輩《こうはい》どもにもでけぇ面《つら》できるし、『屍龍《ドラゴンゾンビ》』も敵じゃねぇ！　また、池袋《いけぶくろ》に俺の時代が来るって事じゃねえかよ！」

果たして法螺田の時代が来た事などあったのだろうか。

仲間達《なかまたち》の頭にはそんな疑問が過《よ》ぎったが、敢《あ》えて口には出さなかった。

実際、そのような手駒《てごま》を得る事ができれば、彼らの立ち位置が大きく変わるという事には同意だったのだから。

♂♀

池袋　某《ぼう》ビル屋上《おくじょう》

一頻《ひとしき》り風を浴びた所で、トムが静雄を窘《たしな》める。

「しかしな……今日《きょう》の件は、お前もちょっとやり過ぎだぜ、静雄。もう倒れて気絶《きぜつ》してるガキに追い打ちで蹴《け》りをぶっ込もうなんて、お前らしくもねぇ」

すると、静雄《しずお》が難しい顔をしながら言った。

「いや……すんません。でもあの緑色《みどりいろ》のガキ……殆ど無傷でしたからね」

「はぁ？　おいおい、お前に殴《なぐ》られて無傷《むきず》なわけ……」

「殴《なぐ》った瞬間《しゅんかん》、両手で受け止めてやがった。その勢いと一緒《いっしょ》に自分で後ろに飛んでやがったんですよ、あのガキ」

「……」

静雄が下らない言い訳《わけ》をする人間ではないという事を、トムは良く知っている。

そして、トムは気が付いた。

表面的なものではなく——静雄は、腹の奥底《おくそこ》に一つの怒りを渦巻《うずま》かせているという事に。

「もしかしたら……俺は嵌《は》められたのかもしれないっすね」

「あの緑小僧《こぞう》……あのノミ蟲野郎と同じタイプの人間っすよ」

♂♀

高田馬場《たかだのばば》　久音《くおん》の自宅マンション

『や、約束通りやったぞ？　朝、会社で平和島《へいわじま》静雄に例の噂話《うわさばなし》を吹聴《ふいちょう》しといた……いや、正直、殺されるかと思った……報酬《ほうしゅう》をはずんでくれなきゃ、割に合わないぞ……』

受話器《き》の向こうから聞こえる若い男の声に、久音はニヤニヤと笑いながら応《こた》える。

「いやいや、それは贅沢《ぜいたく》ってもんさ。なんだったら、静雄に教えてもいいんだぜ？　新入社《しんにゅう》員のアンタが、小銭《こぜに》目当てでアンタに首無《くびな》しライダーの噂話を吹き込んで、ワザと怒らせようとした……ってさ」

『……そ、それは……。解《わか》った、解った！　もう金の話はしねえ、な？　な？』

電話を一度切《き》った後、久音は別の人間へと電話を掛ける。

鼻唄《はなうた》混じりに部屋の中を歩く彼に、何らかのダメージが残っているようには見えなかった。

「ああ……悪い悪い。雇《やと》った奴《やつ》ががめついこと言いだしてさ」

『――――』

「そう……今日《きょう》の事はビックリしたよ。俺《おれ》も想定外《そうていがい》だった」

久音はケロリとした調子で、ソファに座りながらスマートフォンを耳に当てている。

「平和島静雄に派手《はで》にやられて、あいつを確実に刑務所《けいむしょ》送りにしてやるつもりだったのにさ」

『――――？　――――。――――！』

「……いや、もう静雄《しずお》のネタは街の連中《れんちゅう》にも飽きられてるよ。だったら、暫《しばら》くネタは休ませなきゃだって。刑務所《けいむしょ》から戻ってきた時にまたネタにすりゃ、新鮮度《しんせんど》があがるだろ？」

何やら妙《みょう》な事を言う彼は、少年らしからぬ、上から目線《めせん》の愉悦《ゆえつ》に満ちた笑顔を浮かべながら言葉を続けた。

「新しいスターの登場って奴《やつ》さ。できるだけ派手《はで》に宣伝《せんでん》してやらないとね」

♂♀

「静雄並《なみ》の奴だと⁉」

「そりゃ、静雄以外《いがい》には無敵《むてき》って事じゃねぇか！」

「どこの中学の奴だ⁉」

「いや、それが良く解《わか》らねぇ」

「もっと高解像度《こうかいぞうど》の動画《どうが》ねぇのかよ！」

「マジで静雄より強いのか？」「地元じゃ聞かねぇぞ」

「余所者《よそもの》じゃねえか？」　「探せ」　「探せ」　「なんとしても探しだせ！」


たった一晩の間に、そんな話題が池袋《いけぶくろ》の街中《まちじゅう》を駆《か》け抜けた。

平和島《へいわじま》静雄に勝利したわけではない。

ただ、善戦《ぜんせん》したというだけだ。

しかし、それだけで十分に異常な事なのだ。

ナイフを使ったり、車に撥《は》ねさせたりという形で静雄と戦う男はいた。

しかしながら、素手《すで》の喧嘩《けんか》で、静雄にまともにダメージを与えられる人間などは聞いた事がない。寿司屋《すしや》のサイモンが時折《ときおり》話に出るが、暴《あば》れる静雄を抑え込む事はあっても、まともに喧嘩をした事が無いため、推測《すいそく》の域《いき》を出ていない。

そうした感覚の者が殆《ほとん》どだった為《ため》、今回の事件は大きな衝撃《しょうげき》を街の中に与え——人々は大きな興味《きょうみ》を持つ事になった。

平和島静雄という男は、池袋の若者達《わかものたち》の間で、それ程《ほど》までのビッグネームと化していたのである。

だからこそ、その男と対等《たいとう》に戦ったというだけでニュースとなってしまうのだ。

しかし、当の本人《ほんにん》——三頭池八尋《みずちやひろ》はそんな事になっているとも気付かぬまま、すやすやと寝息を立てていた。

少年は、眠《ねむ》りの奥に夢を見る。

多くの人々と、普通の生活を送る自分。

世間一般《せけんいっぱん》で『日常』と呼ばれる世界を満喫《まんきつ》する夢を。

彼が今しがた見ている夢は、未来への希望そのものだった。

起きた後に内容は忘れているだろうが、少なくとも、少年は同じ希望を抱く事だろう。

自分という存在が、新たな『都市伝説《でんせつ》』として広まりつつあるのも知らぬまま。

新参者《しんざんもの》の『都市伝説』は、池袋《いけぶくろ》に新しい風を吹き込んだ事にも気付かぬまま——ただひたすらに、眠り続けた。

スヤスヤと、スヤスヤと。

四章Ｂ　帰還者《きかんしゃ》

九十九屋《つくもや》真一《しんいち》の『閉じられたブログ』より抜粋《ばっすい》

『やあ、久々に更新《こうしん》したよ。

遊び相手だった情報屋《や》が街から消えて、最近暇《ひま》だったんだ。

オマケにダラーズも無くなるし、首無《くびな》しライダーもここ半年ほど姿《すがた》を消してたしな。


このページに来た奴《やつ》が知りたいのは、最近噂《うわさ》の失踪《しっそう》事件について事かな。

それについて語る前に、この事件の『主人公《こう》』について話しておこう。

そう、主人公だ。

人生を物語に例えるならば、大抵《たいてい》の場合は、その人生を送る『自分自身《じしん》』が主人公であると言えるだろう。

しかし、人と人とが複雑に絡み合った事象《じしょう》——例えば『事件』等を客観的《きゃっかんてき》に見た場合、複数の人間の中から『主人公《こう》』が選ばれる時がある。

池袋《いけぶくろ》で起こった連続失踪《しつそう》事件。

この事件に関しても、それは例外《れいがい》ではない。

客観視《きやつかんし》の方向……つまり、事件を起こした側とそれを追う側、どちらを主観的《しゆかんてき》に捉《とら》えるかによっても主人公は変わるし、観測者《かんそくしや》の趣味《しゆみ》によっても多大な変化はあるだろうが――

俺《おれ》の個人的な感覚では、『首無《くびな》しライダー』が主人公だと思ってる。

そう、半年姿《すがた》を消してるにも関わらず、ここ一ヶ月の失踪事件の主役《しゆやく》ってわけだ。

おかしいと思うかもしれないが……実際、あいつは池袋に居なかったのに、事件の中心《ちゆうしん》人物にされてるだろう?

それに、主役《しゆやく》は遅れてやってくる……なんて言葉もあるしな。

もっとも、『首無しライダー』を主人公としてこの事件を見た場合、なんともマヌケな主人公という事になるな。

なにしろあいつは、自分の身に降りかかっているとんでもない災難《さいなん》を、事件がどうしようもないほどでかくなるまで、まるで気付いていなかったんだからな』

♂♀

深夜　川越街道《かわごえかいどう》　某《ぼう》コンビニ前

深夜2時を過ぎた頃《ころ》。

コンビニから出て来た男の前に、一つの『影』が立ち塞《ふさ》がる。

言葉通り、それはまさしく『影』だった。

全身が黒いライダースーツに覆《おお》われており、余計《よけい》な模様《もよう》やエンブレムは何一つ無く、ただでさえ黒い装束《しようぞく》を、さらに濃いインクの中にぶち込んだような印象《いんしよう》だ。コンビニからの光を全て吸収しているかのような圧倒的《あつとうてき》な黒さが、逆に夜の中でその身を目立たせているほどだ。

……ただし、その『影』の上に、派手《はで》なアロハシャツを羽織《はお》り、花でできた首飾《くびかざ》りをぶら下げていたのだが。

一際異様《ひときわいよう》なのは首から上の部分だ。そこには奇妙《きみよう》なデザインのヘルメットが据《す》えつけられている。漆黒《しつこく》に染《そ》め上げられた首から下の部分に対し、その形と模様《もよう》はどこかアーティスティックな雰囲気《ふんいき》をかもし出していた。

フェイスカバーはまるで高級車のミラーガラスのように黒く、そこにはコンビニの明かりが艶《つや》やかに反射されているだけで、ヘルメットの中の様子《ようす》はまったく窺《うかが》い知れなかった。

……ただし、そのヘルメットに、全国各地《かくち》の『ゆるキャラ』のシールが貼《は》られていたのだが。


「……」

影はただ沈黙《ちんもく》を吐き出し、まるで生命というものを感じさせない。

コンビニから出て来た男はその様子《ようす》を見て、喜びと恋慕《れんぼ》を混じり合わせて顔を歪《ゆが》める。

「やあ！　セルティ！　待ったかい！」

『待ったもなにも、3分も経《た》ってないぞ？　それより、牛乳と卵、あったか？』

「あったあった！　卵は取りあえず、四個入りのを買ったよ」

コンビニ袋《ぶくろ》を掲《かか》げながら笑う男に、セルティと呼ばれた、黒いライダースーツにアロハシャツを羽織《はお》っているという異様《いよう》な女が答えた。

答えたとは言っても、何かを喋《しゃべ》るわけではなく、手にしていたスマートフォンに文字《もじ》を打ち込む事でコミュニケーションを取っている。

『出る前に冷蔵庫《れいぞうこ》を空《から》にしておいたからな。それだけで大丈夫《だいじょうぶ》か？』

「まあ、暫《しばら》くはお土産《みやげ》の食べ物で食いつなぐから問題無《な》いと思うけどね。あ、でも、セルティが手《て》料理のカニ玉を作ってくれるっていうなら、もうお土産なんか腐《くさ》らせるよ！」

『それは勿体無《もったいな》いだろう。お土産屋さんに謝れ』

「解《わか》った、じゃあ腐った後にちゃんと食べるよ！」

目を輝かせながら頷《うなず》く男に、セルティは肩を大きく上下させた。

『本末転倒《ほんまつてんとう》だ』

どう見ても溜息《ためいき》を吐いている動作《どうさ》なのだが、そこに呼吸は発生《はっせい》していない。

「ええと、牛乳と卵、サイドカーに載《の》せればいいかな」

『いや、もう荷物でギチギチだからな。へたに載せて割れると困る』

そう言って彼女は、ヘルメットのフェイスカバーを開き——何も存在していないその空間に、卵と牛乳が入ったコンビニ袋を押し込んだ。

『これでよし』

フェイスカバーを元に戻しながらそんな文字を打ち込むセルティに、男——岸谷新羅《きしたにしんら》は、温かい笑顔を向けながら頷いてみせる。

「うんうん、セルティも、完全に自分の首がない事に対して吹っ切れたよね」

♂♀

セルティ・ストゥルルソンは人間ではない。

俗《ぞく》に『デュラハン』と呼ばれる、スコットランドを居《きょ》とする妖精《ようせい》の一種であり——天命が近い者の住む邸宅《ていたく》に、その死期《しき》の訪れを告げて回る存在だ。

切り落とした己《おのれ》の首を脇《わき》に抱え、俗にコシュタ・バワーと呼ばれる首無《くびな》し馬に牽《ひ》かれた二輪《にりん》の馬車《ばしゃ》に乗り、死期《しき》が迫る者の家へと訪れる。うっかり戸口を開けようものならば、タライに満たされた血液を浴びせかけられる——そんな不吉《ふきつ》の使者《ししゃ》の代表として、バンシーと共に欧州《おうしゅう》の神話《しんわ》の中で語り継《つ》がれて来た。


しかし、それは昔の話だ。

現在は生きた都市伝説《でんせつ》として、そして一人の女性として、岸谷新羅《きしたにしんら》という男を愛する日常を送り続けている。

それが、『池袋《いけぶくろ》の首無《くびな》しライダー』——セルティ・ストゥルルソンという存在だった。

♂♀

川越街道《かわごえかいどう》

夜の街を、奇妙《きみょう》なバイクが疾走《しっそう》する。

エンジン音を響《ひび》かせぬまま走る、ヘッドライトとナンバープレートが無い漆黒《しっこく》のバイク。

セルティの愛馬《あいば》である首無し馬——『シューター』が、現代《げんだい》社会に合わせて二輪車の形状《けいじょう》に変化した姿《すがた》である。

その横には大型のサイドカーが取り付けられており、日本《にほん》の様々《さまざま》な地方の民芸品《みんげいひん》や菓子類《かしるい》、果てはペナントや木刀《ぼくとう》といったものまで積み込まれていた。

質量《しつりょう》のある影を自在に操《あやつ》る事ができる彼女にとっては、漆黒のサイドカーを愛馬の横に取り付けるなどお手の物である。

ただ、流石《さすが》に人を乗せるスペースが無くなってしまい、現在は普通に二人乗《の》りの形となって国道《こくどう》を走っていた。

——馬車の形にすれば、もっと乗せられるんだが……。

——やめよう。あまり目立つとあの化《ば》け物《もの》が来る。

とある白バイ隊員《たいいん》の顔を頭に浮かべながら、自分の事を棚《たな》に上げた事を思うセルティ。

——まあ、それに……。

自らの背に強くしがみついている新羅《しんら》の鼓動《こどう》を感じ、首のない彼女が心中《しんちゅう》で微笑《ほほえ》んだ。

——二人乗《の》りも、そう悪くないか。


セルティと新羅は、池袋《いけぶくろ》で『運び屋』と『闇医者《やみいしゃ》』を生業《なりわい》としている。

しかし、半年前《まえ》に『取引先《さき》』に頭を下げて長期休暇《きゅうか》を取り、二人揃《そろ》って旅行へと出かけた。

半年に及ぶ、日本漫遊《にほんまんゆう》の旅。

長年《ながねん》追い続けた自らの『首』と、完全な形で決着《けっちゃく》をつけてから一年ほど経《た》った頃《ころ》——セルティは、今後永続的《えいぞくてき》に住む事になるであろう国の事をもっと知っておきたいと、二人で全国を回る事にしたのだ。

そして今日《きょう》、無事《ぶじ》に池袋の街に戻って来たのである。

——それにしても、楽しかったな。

——新羅と一緒《いっしょ》だったからかもしれない。

——いや、一人旅《たび》だともっとのんびりできたのかな？

——まあ、どっちでもいいか。

彼女はそんな事を考えた後、旅の思い出を振り返る。

──北海道《ほっかいどう》の雪祭《ゆきまつ》りも良かったし、沖縄《おきなわ》の慶良間諸島《けらましょとう》も綺麗《きれい》だった。

──10月の内に行った島根県《しまねけん》は良かったなあ。出雲大社《いずもたいしゃ》が凄《すご》い事になってた。

──東北《とうほく》の温泉巡《めぐ》りも良かった。

もしも首から上があるならば、間違い無く『ホクホク顔』というものになっている事だろう。

セルティは旅が終わる寂しさと、慣《な》れ親しんだ景色《けしき》の中に戻って来た安堵感《あんどかん》を同時に抱きつつ、川越街道《かわごえかいどう》の中を走り続けた。

そして、目撃《もくげき》されぬよう、路地《ろじ》をいくつか経由《けいゆ》して、川越街道沿《ぞ》いのマンションに裏口《うらぐち》から入り込む。

半年間留守《るす》にした、セルティと新羅の魂《たましい》の拠《よ》り所である棲家《すみか》へと。

♂♀

新羅のマンション　地下駐車場《ちゅうしゃじょう》

地下駐車場にバイクを停め、セルティと新羅はゆっくりとバイクから降りた。

『ああ、やっと戻って来たな。楽しいのは旅先《たびさき》だが、やっぱり心が落ち着くのは地元《じもと》だな』

馬の姿《すがた》に戻ったシューターの背を撫《な》でながらセルティがそう言うと、新羅《しんら》が旅の疲れを感じさせないテンションで言葉を紡《つむ》ぐ。

「僕はセルティと一緒《いっしょ》なら、どこだって楽しいし落ち着くよ！　いやごめん、落ち着いてなんかいられない、セルティを前にして落ち着いていられる時なんてあるわけがぼぼぼぼぼぼ」

『どさくさに紛《まぎ》れて抱きつこうとするな』

そんないつも通りのやり取りをしている二人に——唐突《とうとつ》に、第三者の声が掛けられた。

「あー……惚気《のろけ》てる所をすいませんがね」

ビクリとして声の方に振り返る新羅とセルティ。

そこには、駐車場《ちゆうしやじよう》の闇《やみ》に紛《まぎ》れて、二人の共通の知り合いが立っていた。

「四木《しき》さん⁉　どうしてここに？」

粟楠会《あわくすかい》の幹部《かんぶ》であり、『運び屋』と『闇医者《やみいしや》』、双方《そうほう》と取引を行っている男である。

「いえ……若い衆《しゆう》からさっき、首無《くびな》しライダーをコンビニで見かけたなんて話を聞いたもんでしてね。御挨拶《ごあいさつ》に伺《うかが》った次第《しだい》ですよ」

『そうなんですか、わざわざありがとうございます！』

戸惑《とまど》いつつも、素直に礼《れい》の言葉をスマートフォンに打ち込むセルティ。

「おや、前はＰＤＡに打ち込んでた気がしますが……」

『ええ、試しに買ってみたんですけど、これがまた使いやすくて。影に静電気《せいでんき》を帯びさせてタッチパネルも素早《すばや》く押せるようになったんです』

「……随分《ずいぶん》と、器用《きよう》な事をしますね」

四木はそう言った後、セルティの全身を睨《ね》め付けた。

「しかし、まあ……」

最後にハワイアンセンターにでも行ったのか、セルティは現在、ライダースーツの上にアロハシャツとフラワーネックレスという浮かれきった格好《かっこう》をしている。

首無《くびな》し馬から分離《ぶんり》したサイドカーには、全国各地《かくち》の土産物《みやげもの》が手当たり次第に詰め込まれており、ミーハーな旅行者の荷物そのものという雰囲気《ふんいき》だった。

「……その様子《ようす》じゃ、何も御存知《ごぞんじ》ないようですね」

『？』

「何がですか？」

セルティと新羅が同時に首を傾《かし》げるのを見て、四木は小さな溜息《ためいき》を吐く。

「旅行中《ちゅう》、ネットはやってましたか？」

「いえ？　せっかくのセルティとの二人旅ですし、そういう俗世《ぞくせ》情報は忘れてのんびりしてきましたよ」

『せいぜい、観光地の情報を検索《けんさく》したりしたぐらいです』

二人の答えを聞き、四木は納得《なっとく》したように頷《うなず》いた。

「こりゃ、俺《おれ》が説明するより、現状を把握《はあく》してもらった方が良さそうだ」

『?』

「部屋に戻って飯《めし》でも食って落ち着いたら、ネットで『首無《くびな》しライダー』で検索《けんさく》してみるといいですよ。最近の検索結果に絞《しぼ》ってね」

そして、四木《しき》は肩を竦《すく》めながら二人に対して背を向ける。

「今日《きょう》はもう冷静に話せないでしょうから、明日《あした》、また来ます。電話しますが、その時は居留《いる》守《す》は使わないで下さいよ、岸谷《きしたに》先生」

どうやら仕事相手からの電話を一切合切黙殺《いっさいがっさいもくさつ》していたらしい新羅《しんら》にそう釘《くぎ》を刺した後、そのまま地下駐車場《ちゅうしゃじょう》を去って行った。

立ち去る彼の背を見送り、セルティと新羅は不思議《ふしぎ》そうに首や胸を傾《かし》げる。


そして、30分後——

最上階《さいじょうかい》にある自宅へと戻り、ネットで自らの事を調べたセルティの絶叫《ぜっきょう》がスマートフォンのメモ欄《らん》に木魂《こだま》した。

『うわあああああ、お終《しま》いだー、お終いだーッ!』

セルティはそんな文字列《れつ》を繰り返し打ち込みながら、ゴロゴロと床を転がって手足《てあし》をばたつかせる。

「落ち着いてセルティ！　大丈夫《だいじょうぶ》、まだ行ける、まだ行ける！」

『どこにだ！』

「セルティと一緒《いっしょ》なら、僕は火の中水の中、ブラックホールの中にだって行けるよ！」

『私が行きたくない！』

ツッコミを入れている間も、セルティは両手でヘルメットを押さえて転がり続けていた。

彼女がネットを見て知ったのは、衝撃的《しょうげきてき》な事実。

池袋《いけぶくろ》で連続失踪《しっそう》事件が発生しており、その犯人が首無しライダーであるという噂《うわさ》が、まるで事実であるかのように拡散《かくさん》していたのだ。

池袋系《けい》のニュースサイトで『人攫《ひとさら》いの犯人は首無しライダー!?』という類《たぐい》の記事がいくつも書かれており、池袋を通り越して全国的なニュースサイトなどにも取り上げられている。

――『外道《げどう》・首無しライダーを糾弾《きゅうだん》する』

――『首無しライダーは人攫いのクズ』

――『このご時世《じせい》に首無しとかw』

そんなトピックスが匿名実名《とくめいじつめい》関わらず、様々《さまざま》な掲示板《けいじばん》やSNSサイトで立ち上がっており、
有名なQ&Aサイトには、

――『娘《むすめ》が首無しライダーに興味《きょうみ》を持っているのですが、殺してでも止めるべきでしょうか』

などという質問が投稿《とうこう》されて炎上《えんじょう》している始末《しまつ》だ。

『うあああ、もうダメだ。私はまだいい。一緒《いっしょ》に住んでる新羅《しんら》にまで迷惑《めいわく》がかかるかもしれないと思うとアアアア』

「いや……住所すら流出《りゅうしゅつ》してないネットの炎上よりも、実際に粟楠会《あわくすかい》とかと仕事してた過去の方がまずい気はするんだけどね？」

『いいや、こんなので済む筈《はず》がない！　きっとこのまま私の正体《しょうたい》とか色々特定《とくてい》されて学校に連絡《れんらく》されたりして退学処分《たいがくしょぶん》になって警察が来て賠償《ばいしょう》請求《せいきゅう》されてウワアアアア』

「そもそも学校に行ってないよねセルティ⁉　こんなに取り乱すセルティ初めて見たよ！」

新羅は溜息《ためいき》を吐きつつ、微笑《ほほえ》みながら言った。

「セルティはネット世界の住人だなあ」

『笑い事じゃない！　私は無実《むじつ》だ！　無実なんだぁー！』

「ああ、でもこの池袋《いけぶくろ》コミュニティの『首無《くびな》しライダーの道交法違《どうこうほうい》反《はん》を糾《きゅう》弾《だん》する』ってトピックスに関しては、事実だから何も言えないよね」

『うっ……。で、でも、シューターはバイクじゃなくて馬だし……』

新羅から視線を逸《そ》らしつつ文字を打つセルティ。

『で、でも、人攫《ひとさら》いなんてしてない、本当なんだ信じてくれ！』

「大丈夫《だいじょうぶ》だよ、セルティ、俺《おれ》を信じて！」

「僕はたとえセルティが人攫い、いや、連続殺人鬼《さつじんき》だとしても変わらず愛し続けるよ！」

セルティは力強く頷《うなず》く新羅の襟首《えりくび》を伸ばした影で摑《つか》み、床に引き寄せてから強く揺さぶった。

『流石《さすが》にそんな真似《まね》してたら愛する前に私を止めてくれ！　い、いや、やってない！　やってないんだ！　信じてくれ新羅！』

「い、いや、信じるもなにも、この半年ずっと一緒《いっしょ》だったじゃない」

揺さぶられながらも冷静にそう答える新羅に、セルティがハッとする。

『そ、そうだ！　新羅と一緒だったじゃないか！　アリバイ成立だ！　なんなら、旅館とかの人の証言《しょうげん》を取れば……』

「まあ……アリバイが証明《しょうめい》できたとして、それをどこで公表するの？　って話だけどね」

『あっ』

「ネットで言ったところで、炎上の火種《ひだね》になるだけだと思うなぁ。首無《くびな》しライダーがネットで登場？　なりすまし？　売名《ばいめい》？　仮《かり》に本物《ほんもの》だと信じて貰《もら》えた所で、『道交法違反してる奴《やつ》の言い訳《わけ》なんて信じられない』って言われて更《さら》に叩《たた》かれるだけだよ」

新羅は混乱するセルティに対し、冷静《れいせい》にそう指摘《してき》を続けた。

『で、でも、なんでこんな最初から犯人みたいに……。こういうサイトの人達は、私に何か恨《うら》みでもあるのか？』

「いいかいセルティ。噂《うわさ》を拡散《かくさん》してるニュースのまとめサイトとかはね、広告費《ひ》を稼《かせ》ぐ為《ため》に閲《えつ》覧数《らんすう》を増やす事だけが目的のサイトもあったりするんだ。そういうサイトからすれば、その情報が真実でもデマでも構わないんだよ。だから、曖昧《あいまい》な情報だろうとセンセーショナルな記事《きじ》タイトルにして煽《あお》るのさ」

『うう……で、デマだと解《わか》れば記事は消えるのか？』

「仮にデマだって判明《はんめい》して炎上《えんじょう》したとしても、『デマじゃないか！　閉鎖《へいさ》しろ！』って叩《たた》きに来た人達でアクセス数が増えれば万々歳《ばんばんざい》なのさ。盛り上がった所で謝罪《しゃざい》記事を上げれば、その謝罪を見にまたアクセス数が増えるしね。全部がそうとは言わないけど……例えばこの『いけニュ～！』ってサイトは、半年《はんとし》以上前《まえ》から特にそれが酷《ひど》くて有名だった所だよ」

新羅の視線の先には、セルティが開いていたノートパソコンがある。

その画面には、『いけニュ～！』という情報サイトが表示《ひょうじ》されていた。

『いけニュ～！』は、池袋《いけぶくろ》の情報を専門的《せんもんてき》に扱うニュースサイトである。

デマが多い事で有名だが、派手《はで》な記事タイトルで周囲を煽る為《ため》、記事タイトルだけを見て内容を読まない人間がSNSなどで拡散し、更《さら》にデマが広まる悪循環《あくじゅんかん》が起きていた。

池袋のデマの大半《たいはん》はこのサイトが元と言われるほどであるが、たまにマスコミよりも早く池袋の事件の真相《しんそう》などを暴《あば》く事もある為、ネット上では微妙《びみょう》な位置づけとして扱われている。

『そ、そうなのか？』

「うん。別のサイトとかと手を組んで利権《りけん》とか貪《むさぼ》ってるなんて噂《うわさ》もある、まあ、池袋系《けい》のニュースサイトの中でも一際《ひときわ》評判《ひょうばん》が悪い所さ。でも、信じる人は鵜呑《うの》みにするもんだよ。最初から『このサイトの記事は全部嘘《うそ》です』って書いてあるネタサイトの記事を本当だと思い込んで拡散しちゃう人もいるぐらいだし」

『そ、そんな……』

「……まあ、セルティの場合、道交法違反《どうこうほういはん》で白バイの人達に追いかけられてるって事実があるから、『あの首無《くびな》しライダーなら人攫《ひとさら》いぐらいやるだろう』って思う人も多そうだけど」

無念《むねん》そうに言う新羅《しんら》に、セルティが身を震わせた。

『わ、私は一体、どうすれば……』

そんな彼女の肩に手を置きながら、新羅は淡々《たんたん》と解決策《さく》を口にする。

「まあ、決定的な無実《むじつ》の証拠《しょうこ》と……センセーショナルな真実が公表《こうひょう》されれば、人攫いの疑いは晴れるだろうね」

『？　具体的に、どうなればいいんだ』

「簡単なことさ。人攫いの真犯人《しんはんにん》が捕《つか》まって、大々的《だいだいてき》に報道されればいい」

『な、なるほど』

ようやく落ち着きを取り戻しかけたセルティに、新羅は彼女を安堵《あんど》させるような微笑《ほほえ》みを浮かべながら言葉を続けた。

「ついでに言うなら、その真犯人《しんはんにん》を捕《つか》まえたのが首無しライダー……って言うなら最高かな」

♂♀

高田馬場《たかだのばば》　某《ぼう》マンション

「そっかー、首無しライダー、戻って来たかぁ」

自宅の入ったマンションの屋上で、琴南久音《ことなみくおん》が呟《つぶや》いた。

彼の手にはスマートフォンが握られており、『首無しライダー、半年ぶりに目撃《もくげき》される！失踪事件《しっそうじけん》に進展《しんてん》か⁉』という『いけニュ〜！』の記事《きじ》が映し出されている。

そんな情報を見た後、久音は暫《しばら》く夜景《やけい》を眺《なが》めていたのだが――

クツクツ、クツクツと、堪《こら》えきれずに笑いだした。

「いや、なんてタイミングなんだか……。こりゃ、荒れるねえ、マジで荒れそうだわ」

視線の先には、池袋《いけぶくろ》のサンシャインビルが見える。

夜空に向けてそそり立つその高層《こうそう》ビルの明かりを見ながら呟いた。

「それにしても……こんなに面白くなる状況が揃《そろ》ってるってのに、大半《たいはん》の奴《やつ》はそれに気付いてすらいないってのはどうよ」

ふと笑いを消し去り、携帯《けいたい》を握り締《し》める手に力を籠《こ》めながら言葉を続ける。

「退屈《たいくつ》な連中《れんちゅう》ばっかりだ。街の大半の連中は、俺《おれ》の予想通りの反応しかしないしよ。予想外《よそうがい》の事をやらかしてくれるのなんてほんの一握《ひとにぎ》りだ」

やや苛立《いらだ》たしげになりながら、目を細めた。

「首無《くびな》しライダー……本人《ほんにん》は、退屈な奴《やつ》じゃないといいけどな」

そこで彼は、再び携帯に目を向ける。

ニュースサイトの反応などを見ると、皆一様《みないちよう》に首無しライダーの帰還《きかん》について騒《さわ》いだり喜んだり叩《たた》いたりしているものが見えた。

しかし、久音はその全て反応を退屈そうに眺《なが》めている。

「ったく、やっぱり普通の反応しかねえなぁ。いつもと同じだ」

小さく溜息《ためいき》を吐きつつ、久音はおぞましいほどに冷たい光を双眸《そうぼう》に湛《たた》えながら、夜景に対して吐き捨てた。

「これだから……俺は、人間って奴が大嫌《だいきら》いなんだ」

学校では決して見せない冷たい表情を浮かべながら、静かに言葉を付け加える。

「情報屋《や》の癖《くせ》に『人間を愛してる』なんて抜かしてた奴が居たとは、到底《とうてい》信じられねえよ」

間接章

間接章　脱落者《だつらくしゃ》

翌日　来良《らいら》学園

顔を腫《は》らしながら登校した八尋《やひろ》を見て、姫香《ひめか》がゆっくりと近づいて来る。

「どうしたの、その顔……」

無《む》表情《ひょうじょう》のまま尋《たず》ねてくる姫香に、八尋は大きな絆創膏《ばんそうこう》越しに顔の傷をさすりながら言った。

「いやあ、階段から転んじゃって」

「大丈夫《だいじょうぶ》？」

表情は薄いものの、心配していないわけではないようだ。

気遣《きづか》いの言葉をかけられた事が嬉《うれ》しく、八尋は少し照れながら言葉を返した。

「うん、骨とかは大丈夫だったから」

「……もしかして……首無《くびな》しライダーを探して危ない目にあったわけじゃないよね？」

「あ、いや、全然そういうのじゃないから」

嘘《うそ》はついていない。

全く無《む》関係というわけではないが、首無《くびな》しライダーを探していたことが原因ではないのは確かだ。

「そう……本当に、気を付けてね」

「ああ、ありがとう」

「？」

妙《みよう》に上機嫌《じようきげん》な八尋《やひろ》に姫香《ひめか》は首を傾《かし》げるが、そこまで追及《ついきゆう》する気はないのか、それ以上顔の傷については尋《たず》ねてこない。

「……」

「……」

奇妙《きみよう》な間が訪れ、お互いに中々《なかなか》口を開けなくなる。

そんな空気を破壊《はかい》したのは、続いて教室にやって来た久音《くおん》だった。

「よーっす！　元気してる？」

朗《ほが》らかな笑顔で言ってくる緑髪《りよくはつ》の少年は、相手の返事も待たずに一方的に話しかける。

「なぁなぁ、聞いたか？　昨日《きのう》の夜、首無しライダーが街に戻って来たらしいぜ？」

「！」

「……！」

「おっと、別に首無しライダーの事を独自《どくじ》に調べたわけじゃないぜ？　情報サイトで記事《きじ》になって、普通にツイッティアとかで噂《うわさ》になってただけだからよ」

先手《せんて》を取って言い訳《わけ》をする久音だが——姫香は彼を責めたりはせず、難しい顔をしているだけだった。

そんな空気を変えるべく、八尋は敢《あ》えて首無しライダーから話題を逸《そ》らす。

「あ、そ、そういえばさ、部屋に置くテレビとかラジオを買おうと思ってるんだけど、どこか近所に安い店ないかな」

「なんだよ、下宿《げしゆく》だろ？　部屋にないのか？」

「いやあ……下宿って言っても、アパートを一部屋借《か》りてるだけだから……」

すると、姫香が何か思いついたように顔を上げた。

「そういえば、うちの近所に『園原堂《そのはらどう》』って古道具屋《ふるどうぐや》さんがあるけど……」

「古道具屋さん？」

「ずっと閉まってたんだけど、先月改装《かいそう》されて開いたの。売りに出してた店が売れなくて、結局また始める事にしたんだって。木でできてるような古いラジオが店頭《てんとう》にあった気がする。でも、他に店頭のショーケースにあったの、古い刀《かたな》とか変な壺《つぼ》とか、妙《みよう》なものばっかりだったけど……確か、この学校を卒業した女の人がお店を経営してるんだって」

「へえ……テレビはともかく、面白そうなお店だね」

　すると、久音《くおん》も反応する。

「うちのOBが？　いいじゃんいいじゃん。この学校の都市伝説《でんせつ》とか教師《きょうし》の弱みとか、面白い事《こと》聞けそうじゃん？　せっかくだから、三人で今日《きょう》行ってみようぜ？」

「そんな強引《ごういん》な」

　八尋《やひろ》は久音《くおん》のノリについていけず溜息《ためいき》を吐いたのだが、姫香《ひめか》は無表情のまま言った。

「いいよ」

「え？」

「二人とは、首無《くびな》しライダーの事についてもう少し詳しく話しておきたい気もするし……」

「マジで？　じゃあ決まりだな！」

　ポンと手を叩《たた》く久音に、八尋が慌《あわ》てて言う。

「あ、でも、今日《きょう》の放課後《ご》は、図書《と》委員《しょ》の作業がちょっとあって……」

　それを抜きにしても、姫香にあまり迷惑《めいわく》をかけてはいけないだろうと思っていた八尋だったが――

「いいよ。終わるまで待つから」

　姫香があっさりとそう言った事で、三人はなし崩《くず》しに、放課後の行動を共にする事となった。

♂♀

放課後　来良《らいら》学園8F　図書室

「でも、いいのかな……。迷惑じゃなきゃいいけど……」

そんな事を呟《つぶや》きながら新しく入荷《にゅうか》した本の整理をしていた八尋に、先輩《せんぱい》の一人が声をかけてくる。

「おーい、三頭池君《みずちくん》」

「はい、なんですか？」

何か新しい仕事だろうかと振り返った少年に、先輩が司書室《ししょしつ》の扉《とびら》を指さしながら言った。

「図書委員長が呼んでるよ。何か話があるってさ」

♂♀

30分後　昇降口《しょうこうぐち》

「ごめんごめん、遅くなって」

八尋《やひろ》が駆《か》けつけると、久音《くおん》と姫香《ひめか》が、既《すで》に靴《くつ》を履《は》いて待っていた。

「よう、随分《ずいぶん》と作業に手間《てま》取ってたみたいじゃん？　そんなに作業多《おお》かったのか？」

特に怒ってはいないようで、久音が軽い調子で問いかけてくる。

「ああ、作業は楽だったんだけど、図書《としょ》委員長に呼ばれちゃって」

「図書委員長に？」

姫香の言葉に、八尋は小さく頷《うなず》いた。

「うん……ちょっと色々《いろいろ》話してさ。メールアドレスとかも教えて貰《もら》った」

「ふーん？　あれか？　次の図書委員長として抜擢《ばってき》されるとかそういう流れじゃね？」

「そんなわけないよ。まだ委員会入って2日目なんだし」

八尋がそんな事を言いながら靴を履いていると、姫香が口を開く。

「でも、あの図書委員長、凄《すご》く大人《おとな》っぽいよね。なんだか、色々達観《たっかん》してるっていうか」

「そうだね。流石《さすが》は委員長って感じだよ」

力強く頷く八尋に、久音が軽い調子で言った。

「ああ、いや、実際ちょっとばかし大人だぜ、あの図書委員長」

「え？」

「？」

首を傾《かし》げる八尋と姫香に、久音はあっけらかんとした調子で答える。

「なんか、大怪我《おおけが》して何ヶ月も入院してたとかでさー、留年《ダブ》ってんだよ、あの人」

♂♀

来良《らいら》学園８Ｆ　図書室《しつ》
「竜《りゅう》ヶ峰《みね》先輩《せんぱい》、これ、図書委員の会報《かいほう》の在庫《ざいこ》、どこに置いとけばいいですか？」

後輩《こうはい》にそう呼びかけられた青年は、そちらを振り返りながら穏《おだ》やかな調子で答える。

「ああ、僕が司書《ししょ》室に運んでおくよ。お疲れ様」

「お疲れ様です！」

そう言って後輩が立ち去ったのを確認《かくにん》した後、図書委員長——竜ヶ峰帝人《みかど》は、窓から正門の方を見下ろした。

先刻《せんこく》、とある話をした少年が、友人と思《おぼ》しき男女と共に街へ向かう姿《すがた》が見える。

彼らの姿を見て、帝人の中に一つの記憶《きおく》が蘇《よみがえ》る。

3年前《まえ》、同じように街を歩いていた自分と、二人の少年少女の記憶《きおく》が。

青年はかつて、池袋《いけぶくろ》の街を駆《か》け続けていた。

様々《さまざま》な事件に巻き込まれ、時には自ら事件を起こし、街の非《ひ》日常の中に身を沈めていた事もある。

「三頭池八尋君《みずちやひろ》……か」

帝人《みかど》はそうした経験を元に、街の多くの者達よりも早く、様々な情報を手にしていた。

「凄《すご》いなあ、平和島《へいわじま》さんとまともに殴《なぐ》り合えるなんて」

平和島静雄《しずお》と殴り合い、首無《くびな》しライダーを見る為《ため》に池袋にやってきたという少年。

そして、街で起こる連続失踪《しっそう》事件と、首無しライダーの帰還《きかん》。

日常に戻ってきた身だというのに、そうした情報だけは誰《だれ》よりも早く耳に入ってくる。

しかし、彼はそんな後輩《こうはい》にとある助言《じょげん》を与えただけで、生まれつつある新たな『都市伝説《でんせつ》』に積極的《せっきょくてき》に関わろうとはしなかった。

自分は既《すで》に、この街の非日常から脱落《だつらく》した身だと理解しているからだ。

既《すで》に卒業している恋人や、高校を中退《ちゅうたい》したまま働いている親友の顔を思い浮かべながら――『首無しライダー』の都市伝説に絡もうとしている後輩達《たち》に、改めて目を向ける。

正門から去りゆく彼らの背中に微笑《ほほえ》みかけながら――帝人は、小さく呟《つぶや》いた。

「池袋へようこそ。何か、少しでも……いい事があるといいね」

そして、池袋の街が再び蠢《うごめ》き始める。
古い空気と若い空気を混ぜ合わせ、新たな風を自らの中に呼び込む為《ため》に。
風の吹き抜けた後に何が生まれるのか、街自身《じしん》にも解《わか》らぬまま。

CAST

三頭池八尋
琴南久音
辰神姫香

黒沼青葉

折原九瑠璃
折原舞流

粟楠茜
写楽美影

渡草二郎
渡草三郎

平和島静雄

セルティ・ストゥルルソン
岸谷新羅

竜ヶ峰帝人

TO BE CONTINUED DURARARA!!SH×2
©2014 Ryohgo Narita

あとがき

というわけで、『デュラララ!!』新シリーズ『デュラララ!!SH』の開幕となります！

今回と次巻は上下巻という繋がりとなりますが、それ以降はこれまでの『デュラララ!!』と違い、基本的に一冊完結、もしくは連作短編のような形になるかと思います。これまでと少し違った、様々なタイプの事件が起こる『デュラララ!!』世界をお楽しみ頂ければ幸いです。

三人の新入生キャラはそれぞれ曲者揃いですが、『デュラララ!!』キャラクター達の後輩という事で、これまでのキャラクター達と同じように好きになったり憎んだりして頂けるよう、あれこれ悩みながら、あるいは楽しみながら書かせて頂きました。

三頭池八尋、辰神姫香、琴南久音。この三人の名前にはとある由来があるのですが、それは今後のあとがきなどで語って行く予定です（東北地方、特に秋田周辺にお住まいの方はすぐにお解りになられるかもしれませんが）。

この作品が『デュラララ!!』という物語の蛇足となるのか、あるいはそのまま蛇の手となって龍へと進化するのか、読者の皆さんに判断して頂ければと思います。できることなら後者となるよう頑張りますので、今後とも宜しくお願いします……！

※一応作者的には『Snake Hands』の略として『SH』のつもりなのですが、『スーパーハード』だろうと、『園原さんのH！』の略だろうと、どのように受け取って頂いても良いかと思います。皆

さんがそれぞれのSHを胸に抱いて下さいませ！

さて……そうこう言っている内に、この本の帯やその他の情報で既に御存知かと思いますが……

『デュラララ!!』の新しいアニメ制作が決定致しました!!

そう……具体的な年数は言えませんが、実は数年前からこの企画は動いておりました。しかしながら、最初のデュラアニメと同じ最高のスタッフとキャストの皆さんを揃えるには、やはりそれだけの時間がかかる事でして……。逆に言うと、当時の監督や脚本、制作会社、キャストの皆さんそのままでありながら、新しい『デュラララ!!』アニメをお届けできる事になりまして、本当に感慨無量です。

こうして新作アニメのお話を頂けたのは、最初のデュラアニメを応援して下さった皆さんのおかげです。時代が変わる中でも『デュラララ!!』のファンでいて下さり、『デュラ二期まだですか』と声を掛け続けて下さった読者の皆さん、今までお答えする事ができずに申し訳ありませんでした。そして、本当にありがとうございました！

具体的な内容をどこまで言って良いのか解らないので非常に曖昧な感じになっておりますが、『凄い』という事だけは確実です……！　私もできるだけ盛り上げていけるよう頑張りますので、『デュラララ!!SH』と共に、どうぞ宜しくお願い致します！

『デュラララ!!』13巻のあとがきでは言えませんでしたが、『ヴぁんぷ！』や『バッカーノ！』ではなく連続で『デュラララ!!』を出す事になったのにはこうした理由も御座いまして、他にも、今年は『デュラララ!!』10周年として様々な企画が動いております。

森永さんの名菓『DARS』とのコラボレーションをさせて頂いたり、『ニコニコ小説』に挑戦させて頂いたり、ゲームがPlayStation Vitaに移植されたり、更に、まだここでは言えない企画など——新しい形の『デュラララ!!』を色々と御覧頂く事になると思いますので、どうぞ『デュラララ!!』ファンの皆さんは期待してお待ち下さい！


それに加え、今年は、私自身も色々と変化のある年になりそうです。

この本が出ている時点でまだ連載が続いているかどうかわかりませんが、他社で週刊少年誌での連載に挑戦する事になりました。小説とはまったく違うロジックで動く現場にてんてこ舞いだったりしますが、どのような結果になろうと、身につけた事を今後に生かせるように頑張りたいと思います。この本が出た時点でまだその連載が続いていれば、どうぞ手に取って読んで、気に入って頂ければ電撃の小説ともども応援して頂ければ幸いです！

他にも色々な事があったり無かったりするかもしれませんが、『デュラララ!!』をはじめとする電撃小説共々頑張って行きたいです。寧ろ、そうした活動が小説活動の刺激になって、小説の執筆スピードがあがったような気もします。気のせいかもしれませんが……。

最後に、御礼関係となります、
新シリーズ早々原稿が遅れてしまい、担当の和田《ばびお》さんを始め、ＡＭＷに印刷所の皆さん、本当に申し訳ありませんでした……。

いよいよ始まる新アニメ企画と、三つのコミカライズ。それぞれのメディアの中で新しい『デュラララ!!』の世界を広げて下さっているアニメスタッフ、漫画家さんと編集者の皆さん。

いつもお世話になっております家族、友人、作家さん並びにイラストレーターの皆さん。

様々な仕事で大変お忙しい中、素晴らしいイラストを描いて下さったヤスダスズヒトさん。『夜桜四重奏《カルテット》』のＢＤ・ＤＶＤ特典である『デュラララ!!』とのコラボ漫画、毎回楽しみに読ませて頂いております！

そして何より、この新しい『デュラララ!!ＳＨ』の物語を手に取って頂いた皆様へ。

本当にありがとうございました！　今後とも宜しくお願いします！

2014年3月　成田良悟

◉成田良悟著作リスト

「バッカーノ! The Rolling Bootlegs」(電撃文庫)
「バッカーノ!1931 鈍行編 The Grand Punk Reilroad」(同)
「バッカーノ!1931 特急編 The Grand Punk Reilroad」(同)
「バッカーノ!1932 Drug & The Dominos」(同)
「バッカーノ!2001 The Children Of Bottle」(同)
「バッカーノ!1933〈上〉 THE SLASH ~クモリノチアメ~」(同)
「バッカーノ!1933〈下〉 THE SLASH ~チノアメハ、ハレ~」(同)
「バッカーノ!1934 獄中編 Alice In Jails」(同)
「バッカーノ!1934 娑婆編 Alice In Jails」(同)
「バッカーノ!1934 完結編 Peter Pan In Chains」(同)
「バッカーノ!1705 The Ironic Light Orchestra」(同)
「バッカーノ!2002【A side】 Bullet Garden」(同)

「バッカーノ！2002【B side】Blood Sabbath」（同）
「バッカーノ！1931 臨時急行編 Another Junk Railroad」（同）
「バッカーノ！1710 Crack Flag」（同）
「バッカーノ！1932-Summer man in the killer」（同）
「バッカーノ！1711 Whitesmile」（同）
「バッカーノ！1935-A Deep Marble」（同）
「バッカーノ！1935-B Dr. Feelgreed」（同）
「バッカーノ！1931-Winter the time of the oasis」（同）
「バッカーノ！1931-C The Grateful Bet」（同）
「バウワウ！ Two Dog Night」（同）
「Mew Mew！ Crazy Cat's Night」（同）
「がるぐる！〈上〉Dancing Beast Night」（同）
「がるぐる！〈下〉Dancing Beast Night」（同）
「5656！ Knights' Strange Night」（同）
「デュラララ!!」（同）
「デュラララ!!×2」（同）
「デュラララ!!×3」（同）
「デュラララ!!×4」（同）

「デュラララ!!×5」(同)
「デュラララ!!×6」(同)
「デュラララ!!×7」(同)
「デュラララ!!×8」(同)
「デュラララ!!×9」(同)
「デュラララ!!×10」(同)
「デュラララ!!×11」(同)
「デュラララ!!×12」(同)
「デュラララ!!×13」(同)
「デュラララ!!SH」(同)
「ヴぁんぷ!」(同)
「ヴぁんぷ!Ⅱ」(同)
「ヴぁんぷ!Ⅲ」(同)
「ヴぁんぷ!Ⅳ」(同)
「ヴぁんぷ!Ⅴ」(同)
「世界の中心、針山さん」(同)
「世界の中心、針山さん②」(同)
「世界の中心、針山さん③」(同)

本書に対するご意見、ご感想をお寄せください。

電撃文庫公式ホームページ 読者アンケートフォーム
http://dengekibunko.dengeki.com/
※メニューの「読者アンケート」よりお進みください。

ファンレターあて先
〒102-8177　東京都千代田区富士見 2-13-3
電撃文庫編集部
「成田良悟先生」係
「ヤスダスズヒト先生」係

初出

本書は書き下ろしです。

電撃文庫

デュラララ!!SH

成田良悟《なりたりょうご》

2014年4月10日　初版発行
2024年11月20日　4版発行

発行者　山下直久
発行　株式会社KADOKAWA
〒102-8177　東京都千代田区富士見2-13-3
0570-002-301（ナビダイヤル）
装丁者　荻窪裕司（META＋MANIERA）
印刷　株式会社KADOKAWA
製本　株式会社KADOKAWA

●お問い合わせ
https://www.kadokawa.co.jp/（「お問い合わせ」へお進みください）
※内容によっては、お答えできない場合があります。
※サポートは日本国内のみとさせていただきます。
※ Japanese text only

※定価はカバーに表示してあります。

ISBN978-4-04-866486-8　C0193　Printed in Japan

電撃文庫　https://dengekibunko.jp/

電撃文庫創刊に際して

文庫は、我が国にとどまらず、世界の書籍の流れのなかで〝小さな巨人〟としての地位を築いてきた。古今東西の名著を、廉価で手に入りやすい形で提供してきたからこそ、人は文庫を自分の師として、また青春の想い出として、語りついできたのである。

その源を、文化的にはドイツのレクラム文庫に求めるにせよ、規模の上でイギリスのペンギンブックスに求めるにせよ、いま文庫は知識人の層の多様化に従って、ますますその意義を大きくしていると言ってよい。

文庫出版の意味するものは、激動の現代のみならず将来にわたって、大きくなることはあっても、小さくなることはないだろう。

「電撃文庫」は、そのように多様化した対象に応え、歴史に耐えうる作品を収録するのはもちろん、新しい世紀を迎えるにあたって、既成の枠をこえる新鮮で強烈なアイ・オープナーたりたい。

その特異さ故に、この存在は、かつて文庫がはじめて出版世界に登場したときと、同じ戸惑いを読書人に与えるかもしれない。

しかし、〈Changing Times,Changing Publishing〉時代は変わって、出版も変わる。時を重ねるなかで、精神の糧として、心の一隅を占めるものとして、次なる文化の担い手の若者たちに確かな評価を得られると信じて、ここに「電撃文庫」を出版する。

1993年6月10日
角川歴彦

人気爆発の『デュラララ!!』のアニメ解説本がついに登場!!

『デュラララ!!』の美麗なイラストギャラリーやキャストインタビューも付いたキャラクターファイル、そして複雑なストーリーラインを監督やスタッフの狙う意図なども踏まえて紹介！　さらに成田良悟の書き下ろし短編や用語集などなど、作品の魅力が全て収録された超豪華仕様!!

デュラララ!!全テ

電撃文庫編集部　編

キャラクター紹介

キャラクターデザインを担う岸田隆宏のラフに加え、成田良悟による裏話も含めた各キャラの解説など、徹底的に各キャラの設定に迫ります。さらに、各キャストのキャラに対する思い入れをたっぷり盛り込んだグラビアインタビューも必見です！

ストーリーダイジェスト

それぞれの担当ナレーション視点から追った各話のダイジェストだけでなく、大森貴弘監督による解説や、各演出の方による制作秘話を絵コンテなども交えて紹介！　ここでしか聞けないような裏話などは公式本ならでは!!

池袋マップも充実

アニメの舞台として様々な箇所がリアルに描かれた池袋の街。ここでは、わかりやすい池袋の地図＋各場所の詳細をアニメの画像とともに探索できます。さらにアンダーグラウンドな危険な裏道なども……。

美麗イラストギャラリー

「電撃文庫MAGAZINE」をはじめ、アニメ各誌で発表された描き下ろしイラストをギャラリーとして楽しめます！

書き下ろし短編も収録

アニメ誌で描き下ろしたイラストにショートストーリーが付きました！　もちろん成田良悟の書き下ろし！　美麗なイラストの裏ではこんな事件があったのか……と、気になるショートストーリーが4編も収録!!

『デュラララ!!』の用語集

原作やアニメなどで登場したキーワードの解説に加え、全てのワードに成田良悟のコメントが付いたパーフェクト用語集がここに！　意味深なものから裏話、その時の感想などなど、様々なコメントは必見です。

B5判／176P